Do jeito que a gente é

Márcia Leite

Ilustrador: MZK

editora ática

Do jeito que a gente é

EDITORA-CHEFE • Claudia Morales
EDITOR • Fabricio Waltrick
EDITORA ASSISTENTE • Malu Rangel
PREPARADOR • Agnaldo Holanda
COORDENADORA DE REVISÃO • Ivany Picasso Batista
REVISORAS • Bárbara Borges; Cláudia Cantarin

ARTE
PROJETO GRÁFICO • Tecnopop (Marcelo Curvello, Felipe Kaizer)
EDITOR • Vinicius Rossignol Felipe
DIAGRAMADORA • Thatiana Kalaes
EDITORAÇÃO ELETRÔNICA • Signorini Produção Gráfica

CIP BRASIL CATALOGAÇÃO NA FONTE
SINDICATO NACIONAL DOS EDITORES DE LIVROS, RJ

L544d

Leite, Márcia, 1960-
Do jeito que a gente é / Márcia Leite ; MZK (ilustr.) - 1.ed. - São Paulo : Ática, 2009.
184p. : il. - (Sinal Aberto)

Apêndice
Contém suplemento de leitura
ISBN 978-85-08-12667-5

1. Relacionamento familiar - Ficção. 2. Bullying - Ficção. 3. Homossexualidade - Ficção. 4. Literatura infantojuvenil. I. Título. II. Série.

09-2934. CDD: 028.5
CDU: 087.5

ISBN 978 85 08 12667-5 (aluno)
ISBN 978 85 08 12668-2 (professor)
Código da obra CL 736678

2025
1ª edição
9ª impressão
Impressão e acabamento: Vox Gráfica / op 246129

Av. Otaviano Alves de Lima, 4400 – CEP 02909-900 – São Paulo, SP
Atendimento ao cliente: 4003-3061 – atendimento@atica.com.br
www.atica.com.br – www.atica.com.br/educacional

Trilhando o próprio caminho

Crescer e amadurecer, diz o clichê, não é fácil. Dá para completar: nunca, em nenhum lugar ou período histórico, para ninguém, foi fácil.

Não tem escapatória. Escolher os próprios caminhos, se responsabilizar pelas próprias decisões e, em certo momento, se perceber adulto, é um **processo difícil**, que exige coragem. Coragem para se conhecer, para experimentar conhecer os outros e o mundo.

A ânsia de **se transformar**, tão típica da adolescência, guarda em si uma intensidade que não pode ser desperdiçada. É um ótimo momento para se perguntar sobre si mesmo, encarar mudanças e desafios, especialmente se eles forem pontes para se assumir no mundo.

Nesta história, Beá e Chico estão **saindo do casulo**. Ela, lidando com a incompreensão e com a indiferença da mãe, com a aceitação e a valorização de si mesma, com a busca de pessoas interessantes nas quais se apoiar. Ele, querendo – mas com medo – revelar para o mundo sua **homossexualidade**.

Acompanhando as histórias de Béa e de Chico entramos em contato com narrativas de vida que falam da dificuldade em **mostrar o que se é**. Mais do que isso: falam, especialmente, da felicidade de viver a vida sem tantos medos.

Não perca!

- *Quando os pais se casam e a família muda: como é viver com novas pessoas na sua casa?*
- *Bullying: adolescente lida com perseguição na escola e mostra como sair dessa.*
- *Menino gay conta as dificuldades de se assumir homossexual, fala do preconceito e da intolerância.*

Sumário

O correr da vida embrulha tudo. A vida é assim: esquenta e esfria, aperta e daí afrouxa, sossega e depois desinquieta. O que ela quer da gente é coragem.

Guimarães Rosa, Grande sertão: Veredas.

Para Filipe, pelo que compartilhamos.
E para Fabrício, pela confiança.

Capítulo 1

Tem uma pedra

Beá

Será que coisas assim só acontecem comigo?

O alarme do seu celular toca. Seis da manhã. Você está com sono. Muito sono. Está frio. Aquele frio que faz você se perder embaixo do edredom para nunca mais ser encontrada. E a cama é o único lugar do mundo em que você deseja estar neste momento, e talvez nos próximos anos da sua vida.

Mas o alarme do seu celular toca novamente e agora... bem, agora você tem duas opções:

1) Respirar fundo e encarar a briga com o sono, mesmo que para isso seu corpo precise ser ejetado da cama, como naquelas catapultas do império romano, que atiravam pedras a longa distância.

2) Ignorar que ouviu o alarme, esquecer que tem aula, continuar de olhos bem fechados e dormir, dormir, dormir. E depois, quando acordar mais descansada, preparar-se para a grande briga. Aquela em que sua mãe vai jogar na sua cara o quanto você a decepciona por não levar a sério todo o esforço que ela faz para dar a você uma boa educação, um bom colégio e blá-blá-blá.

Como as duas alternativas não são lá muito animadoras, você começa a perder o sono. E quando o celular toca pela terceira vez, resolve levantar porque se lembra que o trabalho de história, que vale a média do bimestre, está com você. Maldição!

Se bem que não seria má ideia deixar aquelas cinco folgadas bem estressadas, bem irritadas, bem prejudicadas com a sua falta. Afinal, não foi você quem fez todo o trabalho sozinha enquanto elas trocavam e destrocavam de roupa na casa da Calu? Foi. Não foi você quem pesquisou e digitou páginas e mais páginas enquanto as quatro se divertiam, na frente do espelho, tirando fotos com caras e bocas e peitos e bundas para colocar no Orkut? Foi.

Por acaso alguma delas perguntou se você precisava de alguma ajuda? Tá bom, perguntar até que perguntaram. Só que perguntar e não ajudar é como não perguntar. É aquele tipo de oferta que a gente nem deve pensar em aceitar, porque sabe que é a maior fria. A pessoa só vai ficar do seu lado sem saber o que é para fazer, falando besteira e atrapalhando muito mais do que ajudando.

Mas é lógico que elas perguntaram o que não precisava: "Beá, você não vai experimentar algum modelito pra balada do sábado?".

Falsas! Falsas! Falsas! Mesmo sabendo que você não vai naquela balada. Mesmo sabendo que você nunca sai com elas. Mesmo sabendo que você não tira a roupa na frente de outras pessoas. Falsas! Que raiva!

Aí você agradece, inventa a primeira desculpa que vem à cabeça e continua a trabalhar, fingindo que não está nem aí. Só que no fundo, bem lá no fundo, você se sente arrasada. Sabe que não está enganando ninguém com suas desculpas. Até porque você queria se sentir um pouco como elas, nem que fosse por alguns minutos. Ver como é que é. Ver se é do jeito que você imagina. Ver se é bom.

Mas nem tudo é para todos nesta vida, você sempre soube. Por isso permite que explorem você nos trabalhos da escola em troca de te chamarem para fazer parte de alguma equipe. Não tem nada pior do que sobrar no canto da sala de aula, olhar em volta e perceber que vai ter de fazer grupo com qualquer outro excluído.

A tentação de poder sacanear com elas infelizmente não dura muito.

Você sabe que as quatro não vão pensar duas vezes antes de entregar sua cabeça na bandeja para o professor de história. Com mostarda, ketchup e maionese. A corda não estoura sempre do lado mais fraco? E adivinha para quem ia sobrar? E sabe por quê? Porque elas são lindas, charmosas e irresistíveis e você é só uma aluna irresponsável que deixou sua equipe na mão.

Então, você desiste do edredom, do quentinho, do sono, da raiva e pula da cama.

Não sei se você já experimentou, mas não é fácil chegar até o banheiro de olhos semifechados. Apenas o olho direito um pouquinho aberto. O que enxerga melhor sem óculos. Mas você é persistente.

Quando percebe que está diante da pia, abre a torneira, lava o rosto e se enxuga. De olhos fechados, sem acender as luzes. Tateia a parede até encontrar o interruptor. Ploc. Então tudo se ilumina. Resolve que é hora de abrir os olhos, bem devagar. Até que, nossa! Vê uma imagem refletida no espelho. Se assusta: "quem é essa daí?".

Você sabe a resposta. Mas insiste na pergunta, "quem é essa daí?", porque não pode ser você. Só pode ser alguma pegadinha, alguma armação. Esse espantalho assustado definitivamente não pode ser você.

Fecha os olhos de novo. Aos poucos, bem devagar, para ter certeza que vai descobrir qual é o truque de gênio daquela imagem projetada. Aliás, uma brincadeira de muito mau gosto.

Mas aí você se lembra que a perua escolar vai buzinar daqui a pouco. E que ela só espera três miseráveis minutos na porta da sua casa.

Dá uma suspirada. E pronto. Abre os olhos de uma só vez. Constata. É. Essa aí é você mesma. Não tem truque nenhum.

É preciso tomar uma atitude. O que você faz?

a) Olha para sua imagem no espelho e diz: bom dia, princesa!

b) Dá um sorrisinho de satisfação e escova os dentes, cantarolando uma melodia bem alegre.

c) Resolve ajudar a mãe natureza e coloca um pouco de maquiagem para reforçar seus pontos fortes e disfarçar os fracos.

d) Passa a mão no espelho para desembaçá-lo, mas seu rosto e seu cabelo continuam amassados. Suspira e segue em frente.

e) Recusa-se a encarar a realidade e cobre o espelho com a toalha de rosto.

Bem, se você é alguém assim como eu, daria tudo para ser aquele tipo de pessoa que fica entre uma das três primeiras alternativas. Qualquer uma delas.

Só que, na maioria das vezes, eu acordo uma garota *e*. Dependendo dos acontecimentos, se o dia favorece, se meu humor ajuda, vou me tornando uma garota *d*. Não que eu não deseje progredir para *c* ou para *b*. Simplesmente não acontece e pronto.

Sabe quando você pega os melhores ingredientes para fazer um bolo de chocolate de arrasar? Então.

E segue todos os passos com a maior atenção? Então.

E coloca no forno e deixa o tempo exato que a receita pede? Então.

Tem tudo para dar certo, não tem? Tem.

Mas o bolo sai assim meio murcho, meio torto, meio mole por dentro, meio duro e queimado por fora. E, olha, não adianta alguém dizer que o gosto pode estar bom, porque não dá vontade de provar.

Esse bolo micado sou eu.

A ironia é que eu tenho alguns ingredientes muito valorizados no mercado feminino: sou loira de olhos verdes. E mais: também sou alta e magra.

Eu sou loira de verdade. Mas meus cabelos são crespos, tão crespos, que se eu não molho antes de pentear, eles vão se avolumando, se avolumando tanto, que sou capaz de levantar voo se bater um vento um pouco mais forte. Não que eles sejam feios, ou arrepiados, ou duros. Só não são lisos. Nunca vão ser lisos.

E você sabe, tanto quanto eu, que uma garota com cabelos naturalmente lisos é muito mais poderosa. Já uma menina com cabelos crespos precisa ser absolutamente estonteante para disfarçar esse pequeno “defeito” de fabricação.

Por causa dos meus cabelos já fui chamada de asa-delta. De aeroplano. De paraquedas. De guarda-sol. De orelha de Dumbo. Os mais femininos, digamos assim, foram abajur e samambaia. Não preciso explicar a razão desses apelidos tão carinhosos, preciso?

Quando eu estava no quarto ano, nunca vou esquecer desse dia, um colega fez a gentileza de dizer para a professora que eu devia me sentar na última carteira, porque ninguém enxergava nada quando ficava atrás de mim. Todo mundo morreu de rir.

Pensa que a professora me defendeu?

Que nada! Ela virou para a classe e perguntou se alguém já tinha se sentido prejudicado pela minha cabeleira. Alguns disseram que sim. E eu fiquei esperando o veredicto, quietinha. Ela não me perguntou nada. Só mandou que eu trocasse de lugar com um menino. Um que sempre ficava lá no fundão. Não porque fosse alto, mas porque era bagunceiro mesmo.

E lá fui eu, humilhada, segurando o choro, porque, quando a gente é uma menina de quase dez anos, chora por qualquer coisinha. Bom, e quando você tem quase 15, também. Lembro que, no caminho, ouvi duas crianças da minha fileira comentando, bem baixinho:

— Ufa, ainda bem que o guarda-sol saiu da minha frente!

E também:

— Coitada, era só dizer pra ela usar um rabo de cavalo!

Duas coisas muito importantes na minha vida aconteceram nesse dia, depois desse episódio: a menina que falou do rabo de cavalo, a Renata, acabou virando minha melhor e única e sincera amiga. E também foi nesse dia que eu descobri que precisava usar óculos. Não enxergava nada da última carteira.

Resultados: nunca mais fui à escola sem prender os cabelos em um rabo de cavalo; depois da consulta ao oftalmologista, fui premiada com um lindo par de óculos, que desde então se tornou um companheiro insuportável e inseparável.

Por causa dos óculos, quase ninguém repara que eu tenho olhos verdes. Bem verdes. Eu odeio ter de usar óculos. Não é justo que algumas pessoas precisem de um acessório para enxergar o que os outros enxergam sem ele. E não é justo que eu precise usar óculos já tendo esse cabelo.

Ninguém costuma levar muito a sério uma menina que usa óculos. Quer dizer, talvez seja o contrário. Todo mundo acha que uma menina que usa óculos deve ser séria demais, chata demais, cdf demais, nerd demais. E você, de brinde, ganha um carimbo na testa de **"não vale a pena perder tempo com ela"**.

Sempre achei que deveria haver algum tipo de compensação na natureza. Para não ficar tudo concentrado na mesma criatura. Mas não é bem assim...

Eu já tenho 1,77... Sinta o drama: como estou com quase 15 anos, dizem que ainda posso crescer um pouco mais. Eu tremo ao pensar o quanto pode ser esse "um pouco mais". Não quero nem um centímetro a mais. Nem um milímetro. Tá bom assim.

Parece que estou sendo do contra. Mas não sou, acredite. Sei que muita gente gostaria de ser do meu tamanho. Mas ver minhas pernas, meus braços e meu corpo se alongando, se alongando, sem que eu tenha qualquer controle sobre eles, me provoca a sensação de que posso desaparecer, esvaecer, assim, de uma hora para outra. Como uma massinha de modelar que a gente coloca na mesa para fazer uma cobra. Lembra como era? A gente ia amassando e enrolando e a cobrinha ia se encompridando e se afinando, se encompridando e se afinando, até ficar tão comprida e tão fininha que se quebrava e se desfazia inteira na mesa.

Para piorar minha situação, eu sou mais alta que meu irmão mais velho.

André vai fazer 18 anos e não me perdoa por eu ter uns três centímetros a mais. Para ele, eu não tenho nome. Quando eu era pequena, meu irmão me chamava de Visconde de Sabugosa, aquele sabugo de milho do Sítio do Picapau Amarelo: comprido, magrelo e de cabelo amarelo espetado. Queria me provocar, porque eu andava com os livros do Monteiro Lobato para cima e para baixo, preferia ficar lendo do que jogando com ele. Agora eu virei Espiga. É como ele me chama.

Como eu disse, sou alta e magra, muito magra. Pode me chamar de louca, mas não vejo nenhuma vantagem em ser assim. Quando estou em pé e me olho no espelho de perfil, pareço uma lâmina de microscópio. Não tenho peito nem quadril. Você sabe o que é ter 14 anos e ser uma "sem peito" e "sem bunda"? Sabe o que é querer usar sutiã e não precisar? Sabe o que é ter de mandar apertar todas as calças pra elas não ficarem sobrando e o cofrinho aparecer quando você senta? Sem comentários. Eu sei.

E também sei como me sinto quando preciso me expor publicamente. Tipo praia, clube, quadra de esportes do colégio... Odeio quando alguém fica me observando. Odeio fazer educação física com aquele uniforme obrigatório e ridículo. Ele me deixa ainda mais magra e mais sem curvas. Estou quase estourando em faltas — e ainda estamos em maio.

Não é que eu não coma, esteja de dieta, ou seja uma Bia, ou Ana ou Mia. Eu sou magra de nascença. Sempre tive dificuldade para engordar, mesmo comendo doces e massas e tudo o que a maioria das pessoas obcecadas com a boa forma procura evitar. Minha mãe gosta de dizer que coisa ruim não engorda. A coisa ruim sou eu.

Nunca entendi direito esse negócio de herança genética, mas se me dissessem que fui adotada, não teria por que duvidar. Não tenho características físicas nem psicológicas de ninguém da minha família. Já analisei fotografias antigas. Nenhum antepassado tinha meu cabelo, minha magreza ou minha altura. Só os olhos verdes acompanham a família do meu pai há séculos.

Já me disseram que eu devo ter algum problema hormonal.

Um dia, durante uma aula de biologia, enquanto a professora explicava a função dos hormônios na transformação do corpo da criança em adolescente, e do adolescente em adulto, comecei a desconfiar que meus hormônios podiam estar hibernando em algum canto da minha hipófise e que talvez, se eu tivesse sorte, um dia eles acordariam e me dariam um pouco mais de curvas e de volume.

Depois delirei mais um pouco, como sempre acaba acontecendo, e fiquei imaginando se meus hormônios não teriam sofrido alguma espécie de mutação, já que estimulam meu desenvolvimento apenas no sentido vertical.

Só percebi que estava em outra galáxia quando a voz da professora sumiu de repente. Um silêncio estranho indicava que alguma coisa diferente estava acontecendo na classe.

Procurei disfarçar e fiquei desenhando na margem do caderno. Não queria perguntar a ninguém o que era para fazer. Achei melhor ficar na minha até a aula acabar. E continuei pensando como seria bom culpar também meus hormônios pela minha timidez, minha insegurança e minha baixa autoestima.

De repente você ouve a buzina da perua e sabe que tem exatos 180 segundos para estar dentro da van. Ou se apressa, ou perde a primeira aula. E você sabe que não precisa se arrumar direito, porque na perua, às seis e vinte da manhã, só vai encontrar um monte de gente que ainda não acordou ou está pendurada no iPod. Ninguém fala oi para ninguém dentro de uma perua escolar a essa hora.

Então você pega um elástico e prende os cabelos. Assim não vai impedir a visão de ninguém. Coloca rapidamente os óculos. Assim vai poder ler o que está escrito na lousa e na cara de algumas garotas; qualquer coisa como "coitada, ainda bem que eu não sou assim" ou "por que ela não faz nada pra melhorar essa cara, esse cabelo e esse corpo?".

Nessas horas você fica com vontade de encarar uma por uma e dizer: "de nada, viu?". Afinal, quem alimenta a autoestima delas, de graça e em delivery, todas as vezes que se comparam a você? Então. De nada, viu?

Eu também me comparo a elas diariamente.

Você é capaz de imaginar como eu me sinto? Você consegue imaginar como eu fico quando vejo todo mundo combinando de sair no final de semana, para o cinema, para a balada, para o shopping, para dormir na casa de alguém?

Tá bom, eu já fui convidada algumas vezes. Mas quando me convidam é porque chamam a classe inteira, ou a série toda, e não pegaria nada bem deixar alguém de fora.

Oitenta por cento das vezes é festa de aniversário. E o aniversariante quase sempre é um tipo estranho ou excluído. Só que é um excluído meio sem noção, porque, se tivesse um pouquinho de senso de realidade, jamais faria uma festa e chamaria a série toda, correndo o risco de não aparecer ninguém, ou, na melhor das hipóteses, de precisar ficar conversando com os cinco únicos convidados que compareceram e só não foram embora porque morreram de pena de você.

Não ria nem fique com pena de mim. Foi exatamente isso que aconteceu comigo no ano retrasado. Igualzinho. Resolvi comemorar meus 13 anos chamando a série inteira. Fui estimulada por minha mãe e acreditei que seria uma ótima oportunidade para me enturmar. Quer saber o que aconteceu? Ficamos eu, a Renata, duas garotas que nem eram da minha classe e mais dois garotos tão infantis, mas tão infantis, que acabamos entrando na deles e ficamos jogando detetive o resto da noite, até os pais aparecerem para buscá-los.

Aí, claro, você passa o domingo inteiro chorando. Quer morrer de pena de si mesma. É trágico. E se conforma um pouquinho, mas só um pouquinho, quando pensa se não teria sido pior ter a casa invadida por um monte de gente que nunca falou nem se importou com você, e que estaria lá não por sua causa, mas para encontrar outros amigos e zoar um pouco.

Algumas vezes, não vou negar, é bem conveniente ser um *ghost* social. Mas nas poucas vezes em que desejei, do fundo do coração, ser de fato transparente e invisível, fui tão azarada que me vi transformada em uma criatura fosforescente. Assim como se um holofote estivesse voltado para mim, iluminando minha desgraça. Aconteceu no início deste ano, na festa de 15 anos da Isabel.

Era meu primeiro convite para uma festa de 15 anos. Eu tinha uma fantasia de que, em festas formais como essas, os convidados se comportavam como pequenas *ladies* e pequenos *gentlemen*. Doce ilusão da princesinha tola. Convidados normais, talvez, mas não meus colegas de série. Mas isso eu ainda não sabia...

Isabel é minha colega de perua. Só da volta. Também estudava na mesma série que eu, nono ano. Sempre me cumprimentava e até era simpática comigo. De vez em quando a gente conversava um pouquinho e eu ficava com a impressão, não sei de onde tirei essa ideia, de que podíamos ser amigas. Eu ia com a cara dela. Ia mesmo. Tanto que um dia eu a convidei para almoçar e estudar em casa. Ela se desculpou dizendo que tinha um compromisso.

Eu precisava muito de uma nova amiga. Muito.

Renata tinha se mudado para Pernambuco no final do ano anterior e eu ainda não tinha me recuperado do choque de ficar completamente sozinha de uma hora para outra. Sozinha, sozinha mesmo. Não é exagero.

Quando a Rê me contou que precisava se mudar com a família para Recife, eu, sinceramente, achei que ia morrer. Depois fui me acalmando e implorei para ir junto. Fazia faxina na casa, dava banho no cachorro, tomava conta dos irmãozinhos dela, qualquer coisa para não ficar longe da minha amiga.

Mas, claro, ninguém me levou a sério. E, claro, ela foi e eu fiquei.

Isabel deixou de ser uma possível amiga exatamente quando, alguns dias antes da festa, percebeu que todo mundo da nossa série estava se aproximando dela. Foi impressionante como ela ficou diferente assim que se viu rodeada por um bando de puxa-sacos. Deve ter se achado muito poderosa.

Tá legal que o lugar da festa era incrível, que o DJ contratado era um cara superconhecido e que ela, nada boba, tinha convidado as quinze garotas e os quinze garotos mais populares para dançar a valsa da meia-noite.

Não, eu não estava esperando que ela me convidasse para dançar essa valsa ridícula, Deus me livre, mas não precisava pisar em cima de mim, sem motivo nenhum, só para se autoafirmar.

Juro que eu pensei na possibilidade de abrir a porta da perua em movimento e empurrar Isabel para fora quando ela começou a falar da sua festa e, sem mais nem menos, veio com um papo que me deixou, como eu posso dizer, indignada.

— Sabe, Beá, eu até pensei em te convidar pra dançar a valsa comigo... Mas você é tão alta! O único cara que teria altura pra dançar com você é o Rui, só que ele vai dançar comigo. Você não fica chateada, fica?

Eu me belisquei para ver se não estava no meio de um pesadelo. Ela precisava falar tudo aquilo publicamente? A perua inteira olhou para mim e, quem não ficou com pena, não conseguiu disfarçar uma risadinha.

Contei até dez e respondi para ela não esquentar, pois essa ideia da valsa nem tinha passado pela minha cabeça. Depois, só para retribuir sua gentileza, fui tão boazinha, tão boazinha, que me ofereci para ficar na reserva, no caso de alguma das quinze meninas estar doente no dia da festa. Disse que, além de fazer a substituição, eu não me importaria de dançar a valsa de joelhos, só para que meu par não ficasse constrangido por ser mais baixo que eu.

Isabel ficou me olhando, meio sem entender minha ironia. E falou:

— Puxa, ainda bem que você é compreensiva, Beá!

Acabei não empurrando a Isabel para fora da perua, mas fiquei com muita, muita raiva. E jurei que não iria à festa de Isabel nenhuma. Ela que fosse muito feliz com seus 15 anos. Depois, um pouco mais calma, pensei melhor e resolvi: vou mostrar para essa garota que não me importo com o que ela pensa de mim! Até porque aquilo era apenas um detalhe.

O convite dizia "traje *black-tie*". Para mim, *black-tie* era aquele tipo de terno preto comprido, mais parecido com roupa de garçom e cauda de pinguim que os homens usam. Minha mãe me assegurou que nesse tipo de festa as garotas deveriam ir de vestido longo e os meninos, de smoking. Era obrigatório, senão a pessoa corria o risco de ser barrada na entrada.

Quis desistir na hora. Vestido longo, eu? Nem morta. Mas como morta ou sem vestido longo eu não poderia ir à festa, e eu queria ir à festa da Isabel, acabei concordando em acompanhar minha mãe até uma casa de aluguel de roupas sociais.

Antes de descer do carro ela me fez prometer que eu acataria suas sugestões, pois "não estou disposta a gastar uma fortuna por um vestido que nem sua avó usaria". Traduzindo: ou eu aceitava ou aceitava. Sem alternativas, falei que tudo bem.

Claro que me arrependi assim que cheguei em casa.

O vestido verde-claro que "nós" escolhemos, só porque estava com preço promocional, ficava fosforescente no escuro. Isso mesmo. Assim como as roupas claras ficam sob luz negra. Eu me sentia o próprio farol marítimo.

Eu bem que implorei para minha mãe se podíamos voltar à loja e trocar o vestido por outro, que tivesse mais minha cara. Mas ela foi logo dizendo que não teria tempo nos dois próximos dias, que aquele vestido valorizava minha altura e minha "silhueta esbelta", que era uma roupa muito feminina e que, além de tudo, estava com um preço muito razoável. Por fim, ela concluiu a lista de argumentos acrescentando que eu ficasse tranquila, pois ninguém deixaria de reparar em mim.

De fato foi o que aconteceu.

Pela primeira vez, ninguém me ignorou. E eu, que odeio chamar a atenção, virei o alvo de todos os olhares. A própria Isabel, assim que teve uma oportunidade, se aproximou de mim e disse:

— Por que você não coloca logo uma cúpula de abajur na cabeça? Do jeito que está brilhando, não vai precisar nem da lâmpada pra iluminar a sala toda!

Nem me deu tempo para responder e virou as costas. Não falou mais comigo. Nem ela, nem ninguém.

Em menos de quinze minutos de festa eu pude conferir como as roupas sociais não mudavam em nada o comportamento de quem usa um longo ou um *smoking*. Todos os meus colegas continuavam iguais. Alguns até piores.

Logo percebi que tinha entrado numa roubada e tentei me afastar um pouco. Fui procurar um canto para me esconder e acabei sentando no braço de uma cadeira que já estava ocupada por uma colega de classe. Era a Jaqueline.

Comecei a puxar conversa, ela era a única garota que estava tão sozinha quanto eu. Mas Jaqueline tinha um problema de audição, o que dificultava muito sua comunicação, principalmente em lugares barulhentos. Ela não conseguia entender o que eu dizia, por isso sorria, apenas sorria.

Estávamos nesse papo de loucas, quando dois garotos supergatinhos, mas também famosos por serem supercretinos, vieram em nossa direção. Isso nunca tinha acontecido comigo antes. Perguntaram se a gente estava gostando da festa. Bom, uma abordagem normal, eu pensei. A gente nem se conhecia direito, não dava para ser muito criativo mesmo. Eu disse que estava gostando mais ou menos. Minha vontade era dizer que estava odiando, mas fiquei com medo de estragar tudo.

Então um deles falou que precisavam dar um tempo das meninas. Eu não aguentei e perguntei:

— Como assim, das meninas? E por acaso a gente é o quê?

Nessa hora o mais "engraçadinho" deles apontou com a cabeça para uma rodinha formada pelas meninas mais bonitas da série e respondeu:

— Daquelas meninas. É que vocês são diferentes.

Achei que eles deviam ter levado alguma bebida escondida na festa e já estavam meio altos. Dar um tempo "daquelas" meninas para ficar conosco? Claro que a gente era diferente, por acaso eles eram cegos? A Jaqueline não deve ter entendido direito o que os dois falaram e, completamente muda, não parava de sorrir. Eu estava achando aquele papo muito estranho, por isso perguntei se estavam tirando uma da nossa cara. Claro que eles negaram. E eu fingi que acreditei. Era bom ter dois garotos lindos por perto, mesmo que estivessem falsamente interessados. Nem que fosse por alguns minutos.

Sem mais nem menos Vítor, que era o mais atirado, disse que naquela noite eu estava parecendo uma sereia. Uma sereia, eu? Fiquei surpresa. Não sei por que, mas quis acreditar que fosse um elogio e, sei lá, até agradeci. Daí ele me perguntou se beijo de sereia era diferente de beijo de garota. Devo ter ficado muito vermelha, porque senti meu rosto pegando fogo. O que ele queria dizer com aquilo? Nem deu tempo para pensar, porque ele aproximou seu rosto do meu e me deu um beijo na boca, tipo selinho, mas na boca. Eu me desequilibrei com o susto e quase caí do braço da cadeira. Vítor precisou me segurar. Então me levantei assustada. Assim que fiquei de pé, o garoto deu um sorrisinho sem graça. Eu era bem mais alta que ele. Ou ele é que era muito baixinho.

Então continuou a falar, como se não tivesse acontecido nada, como se aquele selinho tivesse sido fruto da minha imaginação, ou a coisa mais normal do mundo. E eu fui me dando conta de que, além de baixinho, o cara era muito sem noção. Voltou a falar daquela história de sereia. Que meu corpo, com aquele vestido, parecia uma pele cheia de escamas brilhantes, como as de uma enguia, aquele peixe comprido, meio serpente. Queria meter a mão na cara dele, mostrar que as enguias podem causar estragos, mas achei melhor me segurar e não fazer nada. Mas ele, com a maior cara de pau, não parou por aí. Como quem não quer nada, foi dizendo que minha roupa era o grande assunto da rodinha das meninas, e que por isso ele e o amigo não aguentaram mais ficar perto delas. Para surpresa dele, e minha também, eu consegui responder um:

— Parece que elas andam meio sem assunto, né? Que bom que estão falando do meu vestido, eu adoro que falem de mim.

Eu consegui até dar uma risadinha. Eles também. Então, o menino que me deu o selinho disse: "valeu, hein?" e saiu sem falar mais nada. O outro foi atrás. Valeu?! Valeu o quê?!

Saí correndo para o banheiro e deixei a Jaqueline sem entender nada de nada.

Devo ter ficado por lá mais de meia hora. Chorei, chorei e chorei. Daí cansei e resolvi ficar quietinha alguns minutos, respirando fundo para me acalmar e voltar para o picadeiro.

Nessa hora, duas garotas entraram no banheiro.

Eu lá, escondidinha, pude ouvir o que elas diziam.

— Nem acredito como o Vítor conseguiu ficar mais de dez minutos conversando com a surdinha e com a bambu!

Surdinha era a Jaqueline, eu pensei, e bambu só podia ser eu.

O papo e as risadas continuaram e eu me esforcei para não perder nem uma palavra.

— Você duvidou, mas ele ganhou a aposta! Deu um beijo na boca da Beá! Foi hilário! Ela quase caiu da cadeira, de susto!

— Aquela cena vai entrar pra história, foi muito tosca! — a outra acrescentou.

— Agora, Camila, quero só ver se você vai cumprir o combinado. Vai ter que ficar com ele, querendo ou não querendo. Você aceitou a aposta!

Então era a Camila, a menina mais disputada da nossa classe, e para mim a mais odiável. A outra devia ser a Débora, sua fiel escudeira.

— Eu sei, querida, pode deixar que eu sempre cumpro as minhas apostas. O Vítor até que é bonitinho, mas já me disseram que ele é meio babão e beija muito mal. Mas fazer o que, né? Tenho que honrar minha palavra...

Eu estava roendo as unhas, de tanto ódio.

Como assim? Eu tinha sido o motivo da aposta entre aqueles cretinos?

Ouvir a voz daquelas metidas estava começando a me dar náuseas. Só que tudo o que eu não precisava naquele momento era dar bandeira e vomitar perto delas.

Precisava aguentar firme.

Débora continuou:

— Eu não vi mais a bambu, você viu? Será que ela foi embora? Também, com aquele vestido, ninguém merece, como ela tem coragem de sair com uma coisa daquelas?

Quase sem respirar para não ser descoberta, ouvi a resposta da Camila:

— Coitada, vai ver que o vestido horroroso foi da formatura da mãe dela.

Débora complementou:

— Da mãe, nada, vai ver que foi da avó!

Eu só queria sumir.

E depois morrer de chorar quando chegasse em casa.

Mas sei lá o que me deu. Abri a porta subitamente, bem na hora em que as duas retocavam a maquiagem. Elas se assustaram quando me viram pelo espelho. Trocaram olhares e Camila, a mais cínica, comentou:

— Xii, acho que alguém ouviu a nossa conversa. A gente não pode mais ficar tranquila em lugar nenhum.

E se encaminharam para a porta do banheiro.

Ter pernas compridas às vezes serve para alguma coisa.

Consegui ser mais rápida que as duas e saí na frente. A porta tinha uma chave pendurada do lado de fora. Não pensei duas vezes. Dei uma volta, conferi se estava mesmo trancada e tirei a chave da fechadura. Olhei ao redor, ninguém estava prestando atenção. Andei até a mesa onde tinha sido servido o bufê e joguei a chave dentro de um grande vaso de flores.

Procurei a Jaqueline. Ela continuava sentada no mesmo canto. Na mesma cadeira. Ainda sozinha. Eu precisava ir embora. Dei um tchauzinho de longe para ela, peguei o celular e liguei para casa.

Ninguém atendeu. Liguei para o celular da minha mãe. Deu caixa postal. Deixei recado. Eu ia embora de qualquer jeito. Pensei em outra alternativa. Liguei para o celular do meu pai. Ele atendeu. Estava fora da cidade.

Meu último recurso seria ligar para meus avós. Mas era tarde e meu avô já devia estar no sétimo sono. Meu irmão? Nem valia a pena tentar. Assim que ele identificasse meu número de celular, me deixaria no vácuo.

Então saí daquele lugar, disposta a voltar para casa, nem que fosse a pé.

Na porta, um segurança me perguntou se meus pais estavam me esperando lá fora. Afirmei que sim. Saí na rua sem saber se devia virar para a esquerda ou para a direita. Foi quando vi alguns táxis.

Eu nunca tinha tomado um táxi sozinha. Me aproximei e perguntei para um dos motoristas se ele conhecia minha rua. Disse que sim.

Perguntei se podia me levar. Disse que sim.

Então entrei no carro, me encolhi no banco o tanto quanto eu podia e comecei a chorar, sem fazer barulho. Daquele jeito que eu aprendi quando era pequena, nas ocasiões em que minha mãe mandava eu engolir o choro. Não sei se o motorista percebeu. Só sei que ele não falou nada até chegarmos na porta de casa.

Quando eu estava pagando, o homem virou para trás e disse:

— Eu sei que não tenho nada a ver com isso, mas uma menina da sua idade não devia andar sozinha de táxi, tarde da noite. É muito perigoso, viu? Seus pais não deviam deixar. Agora entra, lava esse rosto e vai dormir, filha. Toma uma água com açúcar e vai dormir, filha, vai. Amanhã é outro dia.

Naquela noite, no meu quarto, quase me matei de tanto chorar. A aposta, a humilhação, a gozação. Como pude cair numa cilada daquelas? Como? Como?

Alguém "do bem" podia ter me avisado, não podia? Qualquer coisa como: "cuidado, vão aprontar com você!". Só me alertar. Se eu teimasse em ficar, problema meu. Mas é claro que ficar do lado dos "famosos" dá muito mais cartaz. É normal. Se você tivesse de escolher um dos lados da corda de um cabo de guerra, aposto que não ia querer ficar do lado mais fraco.

Mas se a Renata estivesse comigo, se ela estivesse comigo na festa de 15 anos da Isabel, eu não teria caído naquela armadilha. Ninguém ia ter coragem de aprontar comigo na frente dela. Até o ano passado, quando a gente estudava na mesma classe, eu também era uma garota ignorada, mas ignorada respeitada.

Todo mundo sabia que, se alguém mexesse comigo, também mexia com a Renata. E ninguém queria mexer com a Renata. Ela não era unanimidade, nem a rainha da popularidade da nossa escola. Quem gostava dela, gostava muito, quem odiava, odiava muito. Ela falava na cara o que era para ser dito. Se a sacaneavam, ia lá pedir satisfação; se falavam mal pelas costas, ia lá exigir que falasse na frente dela. E também só dizia a verdade. Com ela não tinha esse negócio de falar as coisas pela metade, só para não magoar. Se era para dizer, dizia. Se era para brigar, brigava. Se era para dar colo, dava. E estava sempre pronta para defender as amigas.

Agora me diz: por que a família dela tinha de se mudar para um lugar tão longe? Não podia se mudar só de casa? Só de bairro?

Agora me responde outra coisa: por que é que eu tinha de ir à festa com o vestido mais ridículo e mais barato da loja? Por que minha mãe não deixou que eu alugasse o pretinho básico de mangas compridas e bufantes que eu queria, em vez de falar:

— Beá, faça-me o favor, você vai a uma festa *black-tie*, não a um velório!

E eu por acaso não fui a um velório?

Só consegui pegar no sono e me acalmar um pouco quando fechei os olhos e me lembrei da voz tranquila do motorista, dizendo “vai dormir, filha, vai. Amanhã é outro dia”.

Será que coisas como essas só acontecem comigo?

Aposto que sim.

Capítulo 2

Luz!

Chico

Tudo o que eu não precisava hoje, enquanto esperava o elevador, era dar de cara com o Johnny.

Johnny, não. João, que é como ele deseja ser chamado por mim daqui para a frente. Aquele Johnny, meu ex-melhor amigo, morreu há duas semanas, no dia em que eu pensei que podia me abrir com ele, mas me dei mal. Muito mal. De lá pra cá, nas vezes que a gente se tromba por aí, sempre sem querer, ele não consegue mais me encarar.

O olhar escorre para o lado, a voz fala algo como um "oba" ou um "e aí?". Eu devolvo com um "legal" ou qualquer coisa que não quer dizer absolutamente nada. E o silêncio só é quebrado por um "tchau" burocrático quando ele desce, no quinto andar. Depois, até o 12º, eu fico me esforçando para não desabar.

É muito, muito estranho não termos mais nada para falar quando a gente se esbarra. E também é insuportável saber que encontros como esse podem acontecer a qualquer momento. Daí, bem, daí vai acontecer exatamente isso que aconteceu. "E aí? Legal?" "Legal", "Falou".

E só. Nada mais.

A não ser que eu o desafie. Johnny é acomodado, mas nunca foi de levar desaforo pra casa. Em contrapartida, eu nunca fui muito corajoso, odeio encarar conflitos. Sim, é possível que a gente fique nisso para o resto da vida.

Para piorar, a gente ainda estuda no mesmo colégio, no mesmo ano, no mesmo corredor. Não tenho como fugir do risco de encontrá-lo. Não posso mudar de endereço, nem de escola, de uma hora para outra. Não posso deixar de ser quem sou só para que ele volte a ser meu amigo. E não se trata apenas de uma questão de querer, de escolha, de opção. Agora as coisas são assim e pronto. Não dá para mudar só porque a gente quer, porque o outro espera.

Teve um dia, na semana passada, na volta do colégio, que eu resolvi andar um pouco para pegar o ônibus. Achei que assim diminuiria a chance de encontrar o Johnny no ponto em que costumávamos esperar. Foi quando passou um ônibus, que nem era o meu, mas me deixava perto de casa. Dei sinal e subi. No ponto adiante, quem entra e senta no banco da frente? Johnny. Também teve a mesma ideia.

Ele passou por mim e deu um soquinho no meu ombro. Tipo, eu também estou aqui. Depois ficou de costas o tempo todo, não se virou nenhuma vez. Tomei a decisão de descer um pouco antes de casa, para não precisarmos pensar na possibilidade de percorrer o mesmo trajeto a pé, andando em calçadas paralelas, indo na mesma direção. Levantei e, ao passar por ele, dei o mesmo soquinho em seu ombro. Uma espécie de tchau, tô caindo fora.

Acontece que tudo isso me deprime, e muito. Tanto que, todas as vezes que eu me encontro sem querer com o Johnny, acabo ficando alterado o dia todo. E passo as horas seguintes tentando me convencer de que as coisas agora são assim mesmo.

Sei que, nesses dias, chego em casa e vou direto para o meu quarto.

Como hoje.

Antes de entrar, dou de cara com minha claquete, pendurada na porta.

Leio: "vá em frente!".

Vá em frente? Definitivamente essa mensagem não tem nada a ver comigo hoje.

Do jeito que minha vida está uma m****, se eu for em frente sou capaz de despencar pela janela do meu quarto e me estatelar na calçada. Doze andares de voo. Livre.

Essa cena me lembra algum filme a que eu assisti.

Apago o "vá em frente" da claquete com a manga do casaco. Depois pego o giz e escrevo no lugar: "cão feroz com suspeita de raiva".

Eu sei que não tem ninguém em casa.

Eu sei que escrevo para mim, que escrevo por escrever. Mas, se não resolve, pelo menos ajuda a colocar para fora um pouco do que estou sentindo.

Por que não aproveitei esse encontro inesperado e perguntei para o Johnny: "Qual é, cara, vai ficar me evitando a vida inteira?". E, se ele me ignorasse, ou só confirmasse com a cabeça, do jeito que costuma fazer, eu completaria: "Eu não tinha ideia de que você era um babaca tão preconceituoso!".

Depois, subiria a pé os doze lances de escadas e o deixaria no saguão do prédio, esperando o elevador, que naturalmente iria despencar com o peso da consciência dele.

Sou mesmo muito dramático, já sei.

Eu mesmo me surpreendo com minha capacidade de fazer com que tudo acabe numa grande tragicomédia. Mas o que posso fazer, se gosto de criar clima, carregar no drama, montar a maior cena com as desgraças da minha vida?

Dramático e covarde. Tá. Excelente combinação. Você vai longe, Chico!

Então, como um cão raivoso, eu bato a porta. Ando até a janela. Fecho as cortinas. Primeiro a branca. Depois a preta. E o dia desaparece.

Tiro o tênis, jogo longe de mim... Pego o iPod na mochila. Coloco os fones. Procuro minha música até encontrá-la. Uma necessidade quase física de escutá-la.

Ainda em pé, fecho os olhos para sentir melhor o som se espalhando dentro de mim. E sou invadido por um quase bem-estar que me faz bater os pés, mexer as pernas, até começar a dançar. E rodar, rodar, até ficar bem tonto. Muito tonto.

Quando tudo parece girar junto comigo, quando sinto que vou cair, me lanço sobre a cama. Era para me proteger do chão. Era. Porque bato com tudo o peito do pé direito na borda de madeira.

Nem sabia que era capaz de gritar tantos palavrões por segundo.

Se antes foi a música, agora é a dor que se espalha depois da pancada.

E dói, dói tanto que eu tenho de acender o abajur para ver se não está sangrando, se o osso não atravessou minha pele. Sei lá.

Tiro a meia. Tudo bem, sem sangue nem osso para fora. Só a marca da porrada. E o latejar, o latejar. Que vai aumentando.

Sinto que vou desmaiar. Começo a suar frio. Da região da nuca vem aquela sensação de vuuuuptttt, de apagão, anunciando que as coisas não estão indo muito bem dentro de mim, e que eu posso despencar a qualquer momento.

Agora não, eu digo pra mim mesmo, agora não é hora de ter piti. Chega! Agora você está sozinho, precisa saber se virar!

Não soa muito convincente. Mas ajuda a controlar um pouco a respiração e a dor.

Se minha mãe estivesse aqui, logo me traria um pouco de sal para colocar embaixo da língua, para a pressão subir. Colocaria depressa uma bolsa de gelo no meu pé, para ele não ficar roxo e inchar. Depois, passaria alguma pomada milagrosa.

Já meu pai, que acha que corpo de homem tem mesmo muitas cicatrizes e hematomas, não ia nem ligar. "Espera um pouco que passa", ele diria.

Desde que minha mãe morreu, acho que nem antisséptico ou curativos a gente tem mais em casa. Por sorte nunca me fizeram falta.

A gente consegue viver sem antisséptico ou curativos. Já sem mãe...

O duro é quando eu ouço algum imbecil falar que sou sortudo por não ter uma mãe pegando no meu pé, regulando minha vida e os meus horários, e o que como e o que visto, e aonde vou e com quem vou. Me dá vontade de gritar para o cara calar a boca, porque não sabe o que está falando. Mesmo. Não sabe mesmo.

Eu também não sabia, quando ela morreu, que a gente não tem nenhum controle sobre o que está reservado para as nossas vidas.

Não recebemos um roteiro que possa ser alterado enquanto vivemos. Há coisas para as quais a gente não tem opção, não tem escolha. As coisas são. Assim como as dúvidas. E as perguntas sem respostas.

A dor vai aumentando e eu procuro alguém em quem botar a

culpa. Já estou acostumado a falar sozinho, então pergunto em voz alta:

— Cadê o diretor responsável pelo script da minha vida, hein? Quem é o cara que está se divertindo às minhas custas, quer fazer o favor de se identificar? Quem é o imbecil que está no comando desta minha vida de m****? Não tá percebendo como essa história está cheia de problemas de continuidade? Vai ou não vai dar uma aliviada?

Como ninguém me responde, eu continuo a falar:

— Tão de brincadeira comigo, é? Qual é, resolveram me dar só as cenas cabeludas? Não tem papel de gente normal?

Silêncio. Silêncio. A dor continua batendo forte, e eu também:

— Não dá pra me substituírem? Para tudo, para tudo, que eu quero mudar de personagem! De hoje em diante, só vou aceitar papel de figurante... Corta. Corta!

Chico, dá um tempo, chega de divagações!

Mundo real, vai! Que coisa mais esquizofrênica ficar se colocando na pele de diretor e de ator ao mesmo tempo. Isso tem nome, sabia? Chama-se loucura, demência. Insanidade.

Nossa, nunca tinha pensado nisso, será que estou sofrendo de algum transtorno obsessivo-compulsivo?

Com TOC ou sem TOC, meu pé não para de doer. Acho que ferrou mesmo.

Melhor levar o assunto mais a sério. Pode ter quebrado, trincado, luxado.

Vou pulando até a janela. Hora de abrir as cortinas, sair do mundo das trevas e assumir meu lado carne e osso.

Luz! Preciso de luz!

Sento na cadeira da escrivaninha para examinar melhor o estrago. Parece que está inchando. Faço um teste. Tento colocar os pés no chão. O direito não consegue ficar apoiado. Grito de dor quando forço a barra para me equilibrar.

"Taí, ferrou", penso.

Lembro da minha mãe e resolvo fazer uma bolsa de gelo. Vou de saci até a cozinha. No corredor, me vem à cabeça que meu pai sempre diz que a tal da carteirinha do seguro saúde fica na gaveta de documentos.

Então, acontece de novo.

É incontrolável. Juro que não é intencional e que não estou pirado!

Só que algumas vezes, quando dou por mim, já estou no meio do jogo. Parece que meu cérebro se organiza de um jeito estranho. Vou relatando o que se passa comigo como se estivesse acompanhando os acontecimentos por trás de uma lente. Como se eu me dividisse em dois. Como se um dos meus olhos visse o que está acontecendo do meu lado de dentro e o outro só conseguisse olhar o que está acontecendo do lado de fora. Ator e diretor, narrador e personagem ao mesmo tempo.

Coisa de maluco, eu sei. Mas não coloco a vida de ninguém em perigo.

Começo a imaginar minha chegada ao hospital. Uma espécie de *remake* de todos os seriados médicos que adoro assistir.

AÇÃO! Chico é colocado na ambulância. Cadê a trilha sonora? O barulho da sirene começa. Fica imaginando as ruas congestionadas e os carros dando passagem. De repente uma curva fechada. Cai da maca. Xinga o motorista.

Chega ao hospital. É retirado da ambulância e colocado numa cadeira de rodas. Espera no corredor o momento de ser atendido. Observa as marcas de sangue no chão, nas luvas da enfermeira, no avental dos médicos. Repara nas paredes de azulejo branco, encardidas. Vê as macas cheias de doentes. Escuta os gemidos de desespero e dor.

Tudo fica escuro de repente. Desmaia.

Corta! CORTA!

... Tá demais. Muita tragédia. Muito *over*. Chega, Chico!

Melhor voltar para o mundo de carne e osso. Ao vivo.

Sequência 1: cena do gelo

Jovem chega à cozinha.

Para em frente à geladeira. Abre a porta do freezer. Reclama de dor. Pega a forma de cubos de gelos. Fecha a porta. Salta até o móvel embaixo da pia. Pega um saco plástico na gaveta. Geme. Deposita alguns cubos de gelo. Dá um nó no saco plástico.

Corte.

Sequência 2: cena do celular

Jovem sentado no sofá da sala.

Estica a perna sobre a almofada. Coloca a bolsa de gelo sobre o pé machucado.

(gemidos)

Ouve o toque do seu celular. Xinga de dor quando tenta se levantar. Desiste de pegar o aparelho.

Minutos depois, o celular volta a tocar.

Tira o gelo do pé. Levanta e vai pulando até o quarto.

O celular para de tocar quando ele está quase chegando.

(gemidos)

Conta 39 pulos da sala até o quarto. Solta queixas a cada quatro ou cinco pulos.

Chega exausto. Senta na cama. Xinga.

Procura o celular na mochila.

Olha as ligações não atendidas.

Sorri ao identificar a última ligação.

Digita o número indicado.

Corte.

Sequência 3: cena do telefonema

Jovem sentado na cama.

Bolsa de gelo sobre o pé direito.

Fala ao celular:

— Oi, Ju, sou eu. Você me ligou?

Escuta.

Fala:

— Não, eu tô em casa mesmo. Só demorei pra atender.

Ajeita a bolsa melhor. Faz careta de dor.

Escuta.

Fala:

— Sério? Legal! Você chega quando? Sexta?

Escuta.

Fala:

— Claro que a gente se vê. E olha, tá cheio de filme legal em cartaz. Se você quiser, pode ficar aqui em casa. Lugar você sabe que tem.

Escuta.

Fala:

— Ah, entendi. A fila já andou... E quem é ele?

Ajeita novamente a bolsa de gelo. Geme baixinho.

Escuta.

Fala:

— Então tá. Se sobrar algum tempinho na sua agenda você me liga, legal?

Escuta.

Fala:

— Mas eu sou dramático, Ju. Você sabe disso. Porra, isso tá doendo. Você acredita que eu me machuquei feio, e de bobeira? Tá latejando.

Escuta.

Fala:

— Vim pulando num pé só, da sala até o quarto. 39 pulos!

Escuta. Ri.

Fala:

— Claro que contei. Você também sabe que eu sou obsessivo.

Escuta.

Fala:

— É sério, Ju. Não tô brincando! Estou sem conseguir colocar o pé no chão!

Escuta.

Fala:

— Sei lá, estou torcendo pra não ter quebrado. É que tá doendo pra caramba!

Escuta.

Fala:

— O pior é que eu tô sozinho.

Escuta.

Fala:

— Se piorar, eu ligo pro meu pai. Não deve ser nada sério. Na pior das hipóteses eu vou sozinho pro hospital.

Escuta.

Fala:

— Cê tá delirando? Acha que vou pedir ajuda justo pro Johnny? Nem que eu estivesse morrendo! Pode deixar que eu sei me cuidar, tá?

Reclama baixinho de dor. Ajeita a bolsa novamente. Percebe que está vazando a água do gelo derretido, por um furinho do saco plástico.

Escuta.

Fala:

— Vou precisar desligar agora. Ju, por acaso você sabe se pé quebrado incha na hora?

Escuta.

Fala:

— Bom, depois a gente combina. Agora acho bom eu ver se consigo encontrar meu pai.

Escuta.

Fala:

— Tá, pode deixar, eu dou notícias. Preciso mesmo desligar.

Escuta.

Fala:

— Então tchau, um beijo.

Escuta.

Desliga.

Corte.

Sequência 4: cena do hospital

Jovem na sala de espera do hospital, sentado em cadeira de rodas.

Pé imobilizado. Telefone celular na mão. Chamada. Reconhece o número. Atende rapidamente.

Fala:

— Oi, pai, tentei falar com você a tarde toda. É que eu tô no pronto-socorro. Machuquei o pé.

Escuta.

Fala:

— Eu tô bem, tá tudo bem, pai. Fica tranquilo.

Escuta.

Fala:

— Eu tentei ligar muitas vezes, mas acho que você não queria ser encontrado.

Escuta.

Fala:

— Confessa, vai, você estava "trabalhando" com a Denise, não estava? Tudo bem com ela?

Ri.

Escuta.

Fala:

— Brincadeira, pai. Relaxa. E, mesmo que estivesse, o que é que isso tem de mais?

Escuta.

Fala:

— Tava doendo muito, não dava mais pra esperar e vim sozinho.

Escuta.

Fala:

— De táxi, pai, eu não podia andar direito.

Escuta.

Fala:

— Deu, deu certo. Peguei a carteirinha do seguro. Tá tudo bem.

Escuta.

Fala:

— Bati o pé de besteira. Começou a inchar. Mas foi só uma luxação. Estou com aquela tala que imobiliza o pé, tipo pé de robô, sabe qual é?

Escuta.

Fala:

— Não, não quebrou. Radiografaram, claro. Mas tô bem agora. Me deram um remédio, melhorou bastante a dor.

Escuta.

Pergunta:

— Bom, eu já tô liberado e posso voltar pra casa. Será que dá pra você me pegar aqui?

Escuta.

Fala:

— Tá legal, então eu tô esperando na entrada do hospital. Liga quando estiver chegando. Beijo.

Corte.

Sequência 5: cena da volta para casa

Jovem deitado na cama com pé imobilizado.

Pai entra no quarto carregando bandeja com lanche.

Pai:

— Tá doendo?

Filho:

— Um pouquinho. Mas estou com muita moleza e um pouco de sono.

O pai senta na cama.

Pai:

— Deve ser o analgésico e o anti-inflamatório, Chico. Come e descansa. Amanhã vai se sentir bem melhor. Você vai pra escola cedo ou vai ficar dormindo?

Filho:

— Bem que eu queria, mas não dá. Tenho aula importante amanhã e não posso faltar.

Pai:

— Bom, eu te levo no colégio enquanto você estiver com o pé imobilizado. Pegar ônibus desse jeito não é mole.

Filho:

— **Valeu, pai.** Só assim pra você acordar mais cedo e me dar carona...

Pai:

— Mas que ingratidão! Eu fui seu motorista até seus 15 anos. Com quase 18 você ainda reclama? Quer que o papai também acorde, faça um leitinho, traga na cama e te leve na escola?

Filho:

— Claro, para que servem os pais, afinal?

Pai:

— Tá legal... fica esperando. Olha, é melhor você ligar agora pro Johnny e avisar que a gente sai às sete em ponto. Pra ele não se atrasar.

Filho:

— É que... bem... a gente não tem ido juntos pro colégio.

Pai:

— Ah, é? Vocês estão fazendo horários diferentes, agora?

Filho:

— Não, pai, é que a gente não está se vendo muito. Resolvemos dar um tempo.

Pai:

— Tempo? Tempo pra quê? Que negócio é esse?

Filho:

— Pai, dar tempo é uma maneira de falar. Não é só pra casal. É pra qualquer pessoa que se afasta da outra pra pensar melhor...

Pai:

— E eu posso saber o que aconteceu de tão importante? Deve ser coisa séria, que eu me lembre vocês nunca desgrudaram desde que se conheceram.

Filho:

— A gente se estranhou, pai, brigou feio, foi isso.

Pai:

— Que chato. Isso às vezes acontece. Amigos também brigam. Deve ter mulher no meio, hein?

Filho:

— É coisa nossa, pai. Melhor deixar pra lá.

Pai:

— Se você prefere, Chico, não pergunto mais nada. Pensei que podia ajudar.

Filho:

— Então vamos mudar de assunto. Cê tem alguma ideia do que eu devo fazer pra andar com este negócio aqui?

Chico se vira, pega a bengala ao lado da cama e a movimenta no ar.

Pai:

— Vai com jeito. Quando você estiver bem craque, já vai estar na hora de tirar.

Filho:

— Vou pegar aquele filme do Charles Chaplin pra tomar umas aulinhas. Ficar duas semanas com esta tala vai ser um saco! Não vai ter bom humor que aguente!

Pai:

— Que nada. Passa rápido. Pense por outro ponto de vista, que você teve sorte por não ter quebrado o pé.

Filho:

— Não herdei esse seu pensamento positivo, pai.

Pai:

— Olha, queria te pedir desculpas. Tô me sentindo superculpado. Você ficou completamente na mão esta tarde.

Filho:

— Tudo bem, pai. Eu sobrevivi. Como você mesmo diz, já estou na idade de aprender a fazer as coisas sozinho. Então...

Pai:

— Estou sentindo um certo tom de ironia?

Filho:

— Nada não, estou só cansado. Não tive um dia muito bom.

Pai:

— Então tá. Descansa. Se precisar de alguma coisa, me chama, combinado?

Filho:

— Pode deixar.

Pai:

— Olha, Chico, fiquei muito orgulhoso. Você se virou muito bem.

Filho:

— Legal, pai.

Pai:

— Boa noite, filho.

Pai sai do quarto.

Corte.

Fico sozinho. Mas sinto um alívio cheio de culpa. Parecia que meu pai não ia mais embora. E eu não aguentava mais ficar conversando. Estou precisando de um tempo só para mim.

Não tenho fome, coloco a bandeja no chão, ao lado da cama. Pego o celular sem me levantar, com a ajuda da bengala. Pronto, já descobri uma de suas utilidades.

Recebi um torpedo.

Respondo:

Oi Ju. Tô em casa. Tah td bem... naum quebrou... ateh o fds. Liga qdo chegar. Thanks. Bj.

Nem pensar em ligar agora. Estou sem paciência para falar do hospital e do encontro com o Johnny. Quem sabe amanhã, senão fica mesmo para o final de semana.

Há uns meses eu teria ligado até mesmo do hospital.

A gente não se desconectava. Vivíamos plugados o tempo todo. Primeiro fomos do Orkut para o MSN. Depois a conta do meu celular começou a estourar. Depois Ju se hospedou aqui em casa e passamos dois dias inteiros conversando sem parar. Cena de filme. Um papo puxando outro, até ver o dia clarear.

E foi ficando mais sério, mais íntimo, mais sério, mais íntimo e acabei descobrindo que eu não tinha fôlego para continuar. Só dava pra ser amizade. Não me sentia preparado para assumir um namoro ou coisa parecida.

Então viramos o que somos até hoje, confidentes.

Johnny e Ju só se viram uma vez. Mas eu sabia que Ju morria de ciúmes dele. E acho que Johnny também sentia algum desconforto com minha nova amizade. Quando sabia que Ju ia passar o final de semana aqui em casa, como aconteceu algumas vezes, nem me procurava.

Quando eu ligava, ele arrumava alguma desculpa:

— Vocês vão ver filme cabeça e eu não tenho paciência. Gosto de ação, você sabe, Chico. Esses filmes com nomes do tipo *Os camelos também choram* não são pra mim. E eu lá quero saber se camelo chora? Bom, fica pra outra.

Teve um sábado em que o Johnny ligou e me convidou para jogar futebol, lá no clube dele. Sabia que Ju estava em casa. Mesmo assim, perguntou:

— E aí, quer ir? Vai a galera toda...

Ele gostava de me provocar, sabia que eu era doido para jogar em campo oficial. Mas eu já tinha combinado outro programa, por isso recusei.

Na segunda, quando a gente estava indo para o colégio, Johnny virou para mim e disse:

— Se você tivesse jogado no sábado, a gente não tinha perdido. O Pedro como goleiro é um desastre! Mas você tinha outro programa...

Ai, caramba, de novo o Johnny! Johnny...

O meu pé, a dor, o hospital conseguiram fazer com que eu nem me lembrasse dele. Mas foi só meu pai falar no Johnny para dar um flashback. E volta tudo. Eu sei que está demorando para eu me adaptar a essa situação. As pessoas perdem grandes amigos. Não fui o primeiro nem serei o último. Mas está muito câmera lenta. Ao menos se eu pudesse dar uma avançada neste filme e chegar logo na parte em que as coisas se resolvem... Com final feliz ou não, mas se resolvem. Agora ainda estou naquela parte que o protagonista sofre e sofre e sofre. Ô, dó!

Amanhã, na carona para o colégio, aposto como meu pai vai dar um jeito de falar no Johnny, assim, como quem não quer nada. Ele é craque nesse tipo de abordagem. Se emplacar, virá de novo com aquele papo "será que não posso ajudar em alguma coisa?", ou "isso vai passar logo, vocês sempre foram inseparáveis".

Não vai ser nada fácil inventar uma história convincente e ainda por cima não cair em contradição durante as duas semanas de carona.

Nada fácil e nada agradável.

E se o "João" entra no elevador, no maldito quinto andar, bem na hora em que estivermos descendo para a garagem? Nossa, que cena ia dar. Tá louco!

Explicar para o meu pai o que aconteceu de verdade, nem pensar. Está completamente fora de cogitação neste momento.

Por duas razões. Porque eu não me sinto preparado para enfrentar a situação e porque tudo leva a crer que ele anda em outro planeta desde que começou a namorar.

Não sei se essa viagem interplanetária dele é boa ou ruim. Sei que é oportuna. Desafogante. Me dá tempo. De certo modo eu ando me escondendo atrás dessa euforia dele.

Pela primeira vez, desde que a minha mãe morreu, estou em segundo plano em sua vida. Ele está naquela fase de paixão irrestrita. Só enxerga a namorada. Parece que está muito feliz. Comprou roupas novas, mudou o corte do cabelo, começou a malhar...

A última coisa que quero no mundo é decepcionar meu pai. Sei quanto ele sofreu com a morte da minha mãe e quanto batalhou para que eu não tivesse um pai ausente e deprimido. Só que também sei quanto me esforcei para ser o filho que ele queria, mesmo sabendo que não vou conseguir corresponder a todas suas expectativas.

Às vezes olho para ele quando a gente está conversando, ou quando ele está distraído, vendo tevê, lendo, dirigindo, e penso: "esse cara aí é meu pai e ainda não me conhece de verdade".

Minha mãe me conhecia melhor. Tenho certeza de que, se ela estivesse com a gente, tudo podia ser muito mais fácil.

Vai ver ela já intuía que ia sair da minha vida muito cedo. Talvez por isso procurasse viver todos os momentos com muita intensidade. Lembro que quando meu pai reclamava dos excessos de mimos comigo, ela se justificava dizendo que nós não ficaríamos juntos a vida inteira. Parecia que tinha algum sexto sentido do que estava por acontecer. Sei lá, coisas de mãe.

Mas, seja como for, devo a ela alguns dos momentos mais mágicos da minha infância.

Às vezes eu acordava no meio da noite e a encontrava lá, sentada ao meu lado, na cama, no escuro, olhando para mim. Inventava umas histórias malucas, dizia que tinha tido um pesadelo horrível e que ficar perto do seu herói fazia com que se sentisse mais protegida. Eu era o herói dela, e ficava todo orgulhoso.

O chato era que, quando eu tinha pesadelos, não podia correr para o quarto dela. Afinal, eu era ou não era um herói? Então acendia o abajur, me metia inteiro embaixo dos lençóis e ficava esperando o medo ir embora. Mas, quando o medo que me assombrava teimava em permanecer, aí eu chamava minha mãe e dizia que estava com muita saudade dela. Ela fingia acreditar e se deitava ao meu lado, até que eu adormecesse novamente.

Era com ela que eu fazia o "grande festival de filmes de todos os tempos". Sempre nos finais de semana. Um atrás do outro. Na sexta-feira, escolhíamos uns cinco, seis, na locadora. Às vezes do mesmo diretor. Às vezes do mesmo ator. Outras só comédias, ou suspenses ou aventuras ou dramas. E a gente classificava, enquanto fazia pipocas ou pizzinhas ou nuggets: "final de semana para rir", "final de semana para chorar", "sábado de arrepiar"...

Eu dizia para ela que ia ser dono de cinema quando crescesse. Achava que o dono do cinema era quem fazia os filmes.

Anos mais tarde, quando entendi como acontecia todo o processo de filmagem, cheguei para minha mãe e falei, animado:

— Já decidi, quero ser diretor de cinema!

No mesmo ano, no meu aniversário, ela me deu minha primeira filmadora. E me provocou:

— Agora você vai poder fazer seus próprios filmes, senhor diretor.

Nunca mais pensei em fazer outra coisa da vida, a não ser cinema.

Alguns dias antes de morrer, minha mãe disse:

— Acho que não vou poder assistir a sua estreia como diretor, Chico. Mas queria te falar uma coisa que andei pensando. Dirigir a própria vida é muito mais difícil que dirigir um filme. A gente não pode gravar de novo a mesma cena, nem quando as coisas não saem do jeito que a gente quer. Também não dá pra falar "corta, corta!", e pedir pros atores fazerem de novo, e de novo, e de novo. E também não dá pra mudar o final da história só porque a gente não gostou das escolhas do roteirista. Você tá me entendendo, Chico?

Eu disse que sim.

Mas claro que só entendi o que dava para meus 13 anos entender.

E ela continuou:

— E sabe o que mais? Tem gente que fica sofrendo porque representa durante a vida inteira um falso personagem. No filme da sua vida, Chico, você tem que ter coragem para ser o personagem principal. Você tá me entendendo?

De novo eu disse que sim. E de novo eu não entendi tudo o que ela estava querendo me dizer.

Mas fui crescendo e, infelizmente, comecei a entender.

Agora pouco, quando meu pai quis saber por que eu e o Johnny não estamos mais nos falando, o que foi que eu fiz? Eu atuei. Eu representei. Eu inventei. Não tive coragem de contar a verdade. Porque eu bem que podia tê-lo encarado e perguntado:

— Quer mesmo saber o que aconteceu, pai? É uma história comprida. Senta aí...

O Johnny sempre esteve comigo nos melhores e piores momentos da minha vida. Sempre juntos. Os inseparáveis. Foi na casa dele que eu fiquei hospedado enquanto minha mãe estava internada e meu pai passava a maior parte do tempo no hospital.

Mas ser inseparável não é o mesmo que ser igual.

Então achei que estava na hora de contar para ele. Não dava mais para ficar me escondendo o tempo todo do meu melhor amigo. Porque fingir para ele era também fingir para mim. Era ser falso com ele e comigo. Era me negar. E eu não queria mais isso.

Não foi nada fácil tomar essa decisão.

Cheguei a tentar mais de uma vez, mas sempre desistia na última hora. Claro que acabava me sentindo ainda pior. Mas a verdade é que eu morria de medo da reação do Johnny. Eu ensaiava, ensaiava e nunca conseguia.

Minha mãe gostava de falar que a coragem gosta de nos surpreender.

A gente estava voltando do colégio a pé. Desistimos do ônibus quando ele passou lotado. Não sei o que me deu, achei que era uma boa oportunidade. Até em casa a caminhada dava um pouco mais de meia hora. Tempo suficiente, pensei, para falar e, se precisar, sair correndo antes de me atirar embaixo de algum carro na avenida.

Estávamos em silêncio, às vezes era bom caminhar sem falar nada, lado a lado. Então virei para ele e falei que precisava conversar. Coisa séria.

Ele disse:

— Manda.

Eu estava nervoso. Muito. Comecei dizendo que precisava contar uma coisa importante sobre mim que ele ainda não conhecia.

Johnny me olhou com ar de gozação. Depois deu uma risadinha e falou:

— Ah é? Você tem algum segredo? Duvido. Mas pode mandar, Chico.

Ele achava que sabia tudo a meu respeito e eu tentava me convencer de que ia dar tudo certo. Primeiro ele ia levar um susto, depois me encheria de perguntas e no final diria: "inseparáveis". E eu repetiria: "inseparáveis".

Só que depois daquele "duvido" do Johnny, eu comecei a duvidar se não estava sendo otimista demais.

Então respirei fundo e disse para mim mesmo: "agora já f****! Vá em frente!".

E fui.

E continuei o preâmbulo que eu já tinha iniciado: que ele era e continuaria sendo meu melhor amigo etc. etc. etc.

Ele olhou para mim e disse, irônico:

— Eu também te amo, Chico. Agora chega, tá? Vai logo, fala!

Percebi que o Johnny começava a ficar meio preocupado. Mudou a mochila de lado, foi andando mais devagar, olhou para os lados. Aí viu um barzinho e perguntou:

— Quer tomar um refri?

Sei lá se eu queria tomar um refri. Mas ele foi entrando no bar e, quando vi, a gente já estava sentado numa mesinha na calçada e o Johnny olhava para mim, curioso. Gelei. Fiquei com vontade de inventar uma desculpa e deixar para outro dia. Ou nunca contar, deixar pra lá.

Daí, aquela coragem que minha mãe dizia que aparecia de surpresa apareceu. Resolvi jogar tudo para o alto e seguir em frente. "Que se dane!", pensei.

Dei um gole no refrigerante, não sabia muito bem por onde começar. Mas comecei:

— Lembra quando a gente tinha 12 anos e eu dizia que às vezes me sentia um pouco diferente de você e dos outros garotos?

Ele me olhava compenetrado. Perguntou:

— Como assim, diferente?

Tanto tempo ensaiando pra na hora dar aquele branco.

— Diferente como? — o Johnny repetiu.

Ele estava ansioso de verdade. Eu também:

A. JEITO DE CONTAR, DE SER, DE PENSAR

1. Tanto Beá como Chico têm modos bem particulares para falar de si mesmos. Assinale a(s) alternativa(s) correta(s):

   ( ) Beá é super mal-humorada e gosta de comparar sua vida a uma novela de televisão.

   ( ) Beá é irônica e busca solução para seus problemas na forma de testes de personalidade de revistas femininas.

   ( ) Chico adora cinema e com frequência relata o que lhe acontece como se fosse parte do roteiro de um filme.

   ( ) Beá e Chico são parecidos na aparência, na maneira de falar e de ver o mundo.

2. Beá tem um relacionamento tenso com sua mãe, sente que ela não a ajuda. Quando é humilhada na festa de 15 anos da colega, conta:

   "Agora me responde outra coisa: por que é que eu tinha de ir à festa com o vestido mais ridículo e mais barato da loja? Por que minha mãe não deixou que eu alugasse o pretinho básico de mangas compridas e bufantes que eu queria, em vez de falar:
   – Beá, faça-me o favor, você vai a uma festa *black-tie*, não a um velório!"

   Releia o trecho do livro, reflita sobre o estilo narrativo e a relação de Beá com sua mãe e responda: em sua opinião, a culpa pelo desastre na festa é mesmo de Denise? Justifique sua resposta.

3. Quando começa a contar sua história, Chico vai explicando aos poucos seus problemas, deixando que o leitor monte o quebra-cabeça e descubra as razões da sua angústia. Ligue cada uma delas (representadas pelas letras) à reação emocional demonstrada pelo menino (representada pelos números).

a. Morte da mãe	1. Resolve sem desespero
b. Rejeição por Johnny	2. Ficou retraído
c. Dificuldade de falar com o pai	3. Sente muita saudade
d. Homossexualidade	4. Não sente coragem
e. Namoro	5. Aceita com relativa tranquilidade

a. ( ) b. ( ) c. ( ) d. ( ) e. ( )

4. De repente, Chico e Beá descobrem que vão morar juntos, formando uma nova família. Isso é cada vez mais comum nos dias de hoje. Relembre como Chico e Beá reagem e analise sucintamente o tipo de situação em que eles se encontram, dando sua opinião.

B. RESPEITANDO A SI MESMO

5. Chico conta três reações de preconceito em relação à homossexualidade, duas acontecidas com ele, uma com Juca. Quais são elas?

— É que eu nunca me senti atraído de verdade pelas meninas, Johnny. E olha que eu me esforçava. Todas as vezes que eu ficava com alguma garota, eu torcia para dar certo. Eu queria muito experimentar aquela sensação que você um dia me descreveu, lembra? Aquele tesão que você dizia sentir quando uma menina mexia realmente com você.

A expressão do Johnny era de quem não estava entendendo nada, ou não queria entender.

Aí eu expliquei que, para minha sorte, ou azar, sei lá, as meninas sempre queriam ficar comigo, mas de verdade, de verdade, eu nunca quis ficar com nenhuma delas. Nunca consegui me interessar sexualmente por elas.

A cara do Johnny começou a me inquietar. Era desse olhar que eu sempre tive medo. Enquanto eu falava, ele foi tomando um gole atrás do outro do seu refrigerante, até acabar, depois, pegou o meu, que continuava cheio, e me interrompeu:

— Cê tá querendo me dizer que você é gay?

Eu confirmei com a cabeça, desviando meu olhar.

Pronto, tinha conseguido.

Ele continuou a tomar o refrigerante, como se nada tivesse acontecido.

Então falou, tentando brincar:

— Você resolveu tirar uma com a minha cara, né? Eu te conheço, Chico. Cê tá ensaiando pra alguma das suas gravações, é isso? Vai fazer outro curta? Puxa, você quase me pegou, tava quase começando a acreditar nessa loucura!

Vi que ele resistia. E precisei insistir:

— Johnny, eu não estou ensaiando nem pra um curta nem pra um longa. O que eu falei é verdade, não é ficção. Não é joguinho. Eu gosto de meninos.

Mas ele de novo não me deu ouvidos e continuou:

— Você tá louco?! As meninas morrem por sua causa, Chico! Você não percebe? Eu já perdi um monte delas, porque não queriam saber de mim, só de você. E, só porque uma vez ou outra você não se entrosou direito com uma garota, isso não quer dizer que você seja veado, cara! Cê tá meio perturbado, é isso!

O Johnny começou a bater a latinha de refrigerante na mesa, sinal de que estava ficando impaciente. Ele sempre faz algum tipo de batuque quando está nervoso.

Então insisti, mais uma vez:

— Escuta, Johnny, me ouve. Você não tá querendo entender. Estou tentando te dizer que EU não sinto atração por meninas. Se elas sentem por mim, isso é outra coisa. Isso é com elas. Eu sinto atração por meninos.

— Você não sabe o que tá dizendo, Chico! — Johnny afirmou, categórico, quase gritando.

Ainda bem que a rua estava supermovimentada, porque, se ele estava falando alto, eu ia precisar gritar mais alto ainda:

— Cara, é claro que eu sei o que estou falando. Você quer saber da minha vida melhor do que eu?

Ele olhou para mim como se tivesse falando com um bebê ou coisa parecida:

— Isso não acontece assim, de uma hora pra outra, Chico. Você está enganado. Anda vendo muito filme, tá confuso, acredite em mim. Sei lá o que a gente precisa fazer pra tirar essa ideia fixa da sua cabeça. Mas eu vou pensar em alguma coisa pra gente resolver esse problema. Eu não vou deixar você ficar nessa cilada de acreditar que é algo que não é. Eu sou seu amigo Johnny, eu te conheço.

Sempre temi que o Johnny não me aceitasse, mas nunca imaginei que seria tão difícil fazer com que ele acreditasse em mim. Mesmo sabendo quanto ele é cabeça-dura, achei que sua resistência seria para me aceitar, não para conseguir acreditar.

Na verdade eu achava que ele estava fazendo o possível e o impossível para ficar surdo e não se deixar convencer.

Eu não sabia se prosseguia ou se aguardava alguma reação dele. Estava sem ação.

Foi o Johnny quem quebrou o silêncio, depois de tomar outro gole do meu refrigerante:

— Você já ficou com algum garoto, por acaso, pra ter tanta certeza assim do que está falando?

Eu tinha duas alternativas: dizia a verdade, ou dizia a verdade.

— Já.

Johnny engasgou feio. Tentei ajudá-lo. Mesmo tossindo, ele fez sinal com as mãos para que o deixasse em paz, que não me aproximasse.

Quando recuperou o fôlego, jogou na minha cara, muito irritado:

— Foi aquele tal de Juca, não foi?

Eu não tinha razão para esconder mais nada:

— Antes de conhecer o Juca eu já sabia que era gay, Johnny. Ele só me ajudou a confirmar, a me encontrar, a me conhecer melhor.

Ele ficou possesso:

— Você tá querendo dizer que ficou de namorinho com aquele cara?! Bem que eu achava esquisito esse negócio de ele vir se hospedar toda hora na sua casa. Agora tá explicado. Valeu!

Tentei replicar:

— Não é bem assim, Johnny. Eu sempre quis te contar, mas não tinha coragem. O Juca até tinha ciúmes de você.

Ele tapou o rosto com as mãos e fez a maior cena. Se fosse um filme, ficaria ótimo:

— Ciúmes de mim?! Essa é boa! Vai ver achava que eu era um veadinho como ele! O cara delira, mano. Eu não sou um de vocês!

Achei melhor ficar quieto. Um de nós? Agora, para o Johnny, eu pertencia a outro grupo, outra raça, outra casta, outra sexualidade, outro ser que não era igual a ele. Um ser desconhecido, temido. Um estranho, um intruso, um anormal.

Ele continuou:

— Quer dizer que você se dizia meu melhor amigo, mas me fez de besta esse tempo todo? E pensar que a gente já dormiu junto na mesma barraca, até na mesma cama!

Se ele não conhecia o lado que eu estava mostrando, eu desconhecia esse lado do meu amigo. Achei que ele estava apelando:

— Olha, Johnny, você está completamente enganado. Eu nunca te fiz de besta, até porque você é a primeira pessoa com quem eu me abro. Agora, me explica, o que você tá querendo dizer com esse negócio de termos dormido juntos na mesma cama?

Ele me interrompeu, irônico:

— Você sabe muito bem o que eu quero dizer...

Ah, eu estava ficando irado com aquelas insinuações:

— Eu sei o quê? Cê tá louco? A gente dormiu junto, na mesma cama, no mesmo quarto, na mesma barraca. E daí? Mais nada. Você é meu irmão, cara. E, se quer saber, mesmo que não fosse, eu nunca senti nenhuma atração por você. Você não faz meu tipo.

O Johnny não fez nenhum comentário. Permaneceu calado uma eternidade. Era como uma autêntica cena de cinema francês. Closes, olhares perdidos, silêncio.

Uma hora ele se levantou e quebrou a sequência e o enquadramento. Disse, aliás, a última coisa bacana que eu ouvi dele:

CORTA!

— Fica frio, Chico, eu não vou abrir pra ninguém.

Pediu que eu me afastasse dele. E que, se a gente se encontrasse por aí, não o chamasse mais de Johnny. O nome dele era João. Como todo mundo o chamava.

Eu insisti que a gente precisava conversar melhor. Pedi para ele sentar novamente. Eu estava desesperado, mas ele não voltou atrás.

Só acrescentou:

— Olha, não dá pra fingir que é a mesma coisa. Eu tô confuso. Não sei o que pensar. Mas sei que não quero mais te ver por enquanto. Ou pra sempre, sei lá.

E foi embora, levando minha latinha de refrigerante.

Fiquei sentado um tempo, acompanhando o Johnny se afastar. Até que sumiu no outro quarteirão. Eu me sentia arrasado, mas, estranhamente, me sentia inteiro. Eu mesmo. Pela primeira vez.

Corta!

Era isso que eu queria ter contado para o meu pai, mas não contei.

Eu não poderia abrir o jogo assim com ele.

A reação do Johnny, quer dizer, do João, mostrou como eu posso machucar e sair muito machucado.

E eu não estou preparado para perder mais ninguém.

Capítulo 3

No meio

Beá

Tenho certeza absoluta de que tudo na vida da gente pode piorar de uma hora para outra. Somente as pessoas muito otimistas ou muito idiotas acreditam naquela ideia de que as coisas sempre acabam dando certo no final.

Porque as coisas podem acontecer com a gente independentemente do nosso desejo ou da nossa atuação. Imagine só: você está andando por aí e bem no meio do seu caminho aparece uma pedra. É, igual àquele poema da pedra no meio do caminho. Tá legal, eu sei que uma pedra não aparece de repente no caminho da gente. Ou, quem sabe, só aparece no caminho dos poetas.

Mas vamos lá, imagine que surja uma pedra no meio do seu caminho, tudo bem que você não seja poeta. Eu também não sou. E aí, como você reage ao encontrá-la?

Será que você é do tipo romântico, que diz: “que linda pedrinha, vou guardá-la e iniciar uma coleção”? Ou você é do tipo de pessoa pragmática, cheia de atitude, que pensa nos outros e tira logo a pedra do meio do caminho para evitar acidentes? Você também pode ser uma daquelas pessoas supersticiosas, que acreditam em gnomos e adoram perder horas divagando sobre o motivo cósmico da pedra estar justamente no meio do seu caminho. Ah, claro, e pode ser do tipo azarada, pessimista, micada, daquelas que não veem a pedra: você tropeça e cai de boca no chão.

Eu, infelizmente, sei que sou do tipo de pessoa que vai estourar a boca no chão. Fui cosmicamente predestinada aos micos e azares. Além do mais, eu jamais acharia uma pedra linda. Porque, desculpe, pedras são o que são, isto é, são duras, são geladas, são pedras. Também não me preocuparia em tirar pedras do caminho dos outros, afinal, levo pedrada todo dia e ninguém fica com pena de mim. E imagine se eu iria gastar meu tempo tentando entender o que uma pedra estaria fazendo no meio do meu caminho, porque, juro, uma pedra a mais, uma a menos, não faz mesmo a menor diferença para mim.

Eu acredito que tudo na vida sempre pode piorar. Por isso costumo ser prevenida. Manter um pé atrás. Só que hoje as coisas aconteceram de forma tão surpreendente que superaram de longe as minhas piores expectativas.

Achei que teria uma noite chata e normal, como todas as outras.

Mas acabei tendo uma noite da categoria das inesquecíveis. De tão demolidora. Foi uma noite terremoto. Tsunami. Daquelas que são capazes de mudar a vida das pessoas de uma hora para outra, irreversivelmente.

Começou quando minha mãe me chamou para jantar e eu, como sempre, demorei para sair do quarto. Eu estava lendo. Eu estou sempre lendo. Adoro ler. Sempre gostei. E nunca entendi por que conviver com alguém que goste muito de ler acaba incomodando tanto as pessoas. Elas olham como se você fosse um ser anormal, capaz de ficar horas concentrado, entretido. "Como você consegue ficar tanto tempo parada sem fazer nada?", já me perguntaram. Eu não respondi. Uma pessoa que faz essa pergunta não conseguiria entender a resposta.

Bom, minha mãe precisou me chamar umas três ou quatro vezes, acho. Não é que eu faça de propósito, é que meu "já vou" é o mesmo que um "já estou indo" e não um "já fui" imediato. Qualquer pessoa que gosta de ler sabe que livro a gente não pode parar de qualquer jeito. Na hora que quer e pronto. Uma história a gente não pode largar em qualquer parte. Precisa ser na passagem certa, na hora que a gente percebe que o autor está dizendo: "agora pode ir, vai, pode parar; quando você voltar, a história vai estar aqui te esperando. Os personagens vão ficar paralisados e nada vai acontecer enquanto você não voltar".

Desci as escadas meio que me arrastando até a sala de jantar. Achei que estaríamos só as duas e, para ser bem sincera, eu teria preferido estar completamente sozinha. Até porque minha mãe não é do tipo de pessoa que conversa. Pelo menos comigo, ela só fala. E eu ouço. E pronto. Porque, se respondo, ela discorda. Se me explico, ela me critica. Se me calo, ela me acusa de não querer "conversar". E depois se faz de vítima ou me ofende. Tem uma pedra bem grande no meio da gente que não consigo ultrapassar... Mesmo.

Nos últimos meses, eu tenho jantado sozinha, no meu quarto, quase todos os dias. Isso porque minha mãe está namorando e sai o tempo todo. Já deve ter gastado milhões no novo guarda-roupa, no cabeleireiro e nos perfumes.

Já meu irmão nunca para em casa, está sempre no cursinho, ou na casa de algum amigo, ou de alguma namorada, ou, pra variar, jogando bola. Em casa ele costuma dormir.

Surpreendentemente, André estava em casa quando desci e, é claro, também estava com os pés em cima da mesa.

Outra surpresa: minha mãe estava simpática comigo. Até sorriu quando me viu chegar. Não se queixou de eu ter demorado para descer. Não criticou por eu ainda estar usando a roupa com que tinha ido ao colégio. E não reclamou nem uma vez que eu deveria ter desembaraçado um pouco os cabelos antes de me sentar para comer, pois ninguém é obrigado a conviver com minha aparência descuidada e...

Digamos assim que milagres podem acontecer e que minha mãe estava quase contente. André, como sempre, mal levantou os olhos em minha direção.

Ele gosta de demonstrar que me ignora. Para ser sincera, acho que me ignora mesmo. Continuou falando no celular enquanto minha mãe fazia o prato dele, perguntava se estava bom, se queria mais alguma coisa, só faltava cortar o bife para o bebezinho dela. E eu, que sou três anos mais nova que o príncipe, nem me lembro mais quando foi que comecei a me servir sozinha.

Minha mãe esperou que o André terminasse sua ligação e disse que precisava ter uma conversa muito importante com a gente.

Eu não fiquei propriamente curiosa, pois para ela tudo é sempre muito importante, tudo é muito urgente, tudo é muito dramático. Uma conversa importante podia muito bem ser qualquer coisa. Do tipo: "vai faltar água amanhã" ou "o mundo vai acabar". Pronunciados com a mesma entonação milimetricamente controlada.

André também não a levou muito a sério. Continuou comendo.

— Será que vocês podem prestar atenção no que eu tenho a dizer, por favor? — minha mãe pediu, com uma delicadeza suspeita.

— Pode falar, mãe, tô ouvindo — meu irmão respondeu, sem levantar os olhos do prato.

— E você também poderia olhar para mim, Maria Beatriz? — ela subiu um pouco o tom da voz.

— Por que você só pega no meu pé, mãe? O André nem está olhando pra você — eu reclamei.

— Pelo menos ele demonstrou que está me ouvindo. Diferente de algumas pessoas, que se fecham em seu pequeno mundinho.

— Mas, mãe, se eu não estivesse ouvindo o que você está dizendo, com quem eu estaria falando agora?

Pronto, já dava para sentir que nossa conversa importante tinha começado bem.

— Ah, Beá, dá um tempo, não vamos começar a discutir. Hoje eu preciso compartilhar com vocês uma notícia muito especial. Uma notícia que vai afetar um pouco a nossa vida daqui pra frente.

— Minha vida? — André finalmente olhou para ela, espantado.

— Bom, se afeta minha vida, vai acabar afetando também a de vocês, não é verdade? — ela falava algo óbvio, mas muito vago. A gente estava boiando.

— Como assim, afetar minha vida? O que você quer dizer com isso, mãe? — o André começava a mostrar certo ar de preocupação.

Eu fiquei na minha, quieta. Simplesmente muda. Sabia que meu irmão ia espernear e eu não precisava me desgastar inutilmente.

— O que foi que aconteceu? Você perdeu o emprego? Está quebrada? Vou ter que parar com o cursinho? É isso, mãe?

Ele, sempre ele e mais um pouco dele mesmo, pensei. Não sei como ele não se enjoa.

— Calma, André. Fique tranquilo. Não é nada disso, filho.

Minha mãe tentava parecer calma, mas seu tom cuidadoso de voz anunciava que também estava preocupada. Alguma bomba estava prestes a cair na nossa cabeça.

— Por que você não diz logo o que é, em vez de ficar enrolando com esse nhem-nhem-nhem? — André perguntou, irritado.

— Bem, é que eu queria comunicar a vocês um fato muito importante para mim... E espero que vocês me apoiem e fiquem tão felizes quanto eu estou neste momento... — ela mal começara a fazer seu discurso, quando André novamente a interrompeu.

— Não me diga que você está grávida!

— Não, claro que não, André! A novidade é a seguinte: eu e o Marcelo decidimos nos casar! — declarou, toda animada.

Não se podia dizer que a notícia causou a mesma euforia em mim ou no André. Ficamos paralisados com a novidade.

— Viram que coisa boa? Então, era isso! — minha mãe finalizou.

Só isso? Só isso? O que poderia ser mais do que isso? Como se uma revelação dessas pudesse ser assim inofensiva, antialérgica, tipo sabonete de bebê.

— E aí, não vão me dar os parabéns? — ela perguntou, ansiosa.

Continuei calada. Ou melhor, chocada. Meu irmão não fez nenhum esforço para se controlar:

— Casar? O que você quer dizer com casar? — André foi logo questionando.

— Ora, filho, casar é casar. Você precisa mesmo que eu explique? — ironizou.

— Você quer dizer... morar na mesma casa? Você só pode estar louca, mãe. Namorar é uma coisa, casar é outra completamente diferente! — ele se levantou e começou a andar em volta da mesa. Estilo felino enjaulado, de lá pra cá.

— Que tal você se acalmar, sentar novamente e continuar a comer, André? Por favor, podemos conversar tranquilamente, como uma família? — ela pediu, mostrando-se assustada com a reação dele.

— Quando o papai saiu de casa, você jurou pra mim, mãe, que não ia se casar de novo, nunca mais, lembra dessa promessa? — André estava praticamente com o dedo no nariz dela.

Dava para ver que minha mãe se esforçava para não perder o controle, mas estava com medo de que a situação descambasse.

— Mas, filho, você tinha oito anos! — exclamou, incrédula.

— E daí?! Você prometeu! Você prometeu pra mim! — ele insistia.

Eu não acreditava no que estava ouvindo. Então o melhor argumento encontrado pelo meu irmão para questionar esse casamento inesperado era uma promessa feita há quase dez anos?

— André, querido, você não pode estar falando sério. Se eu prometi alguma coisa quando seu pai e eu nos separamos, provavelmente foi para que você não sofresse na ocasião, imaginando coisas, sei lá. Mas isso foi há muito tempo. Você era um menininho.

— E por que você acha que eu não iria sofrer agora, com essa notícia ridícula?

— Notícia ridícula?! — minha mãe estava visivelmente atordoada. — Ridícula para quem?

Aí veio a cena mais dramática da noite.

Para provar o quanto estava sofrendo, meu irmão parou ao lado da minha mãe e bateu na mesa com força, com os punhos fechados. Em outras palavras: ele deu um murro na mesa. Ela fechou os olhos com o susto, provavelmente imaginando que a vontade do filho fosse a de dar um murro na cara dela.

A jarra tombou com o impacto. E a água começou a deslizar pela toalha.

Adivinha na direção de quem? Claro que para cima de mim.

Foi então que minha mãe, ao abrir os olhos, lembrou-se de que eu também estava ali. Calada, mas estava ali. De olhos arregalados, mas bem ali.

Se eu fosse mais esperta, podia ter me escondido embaixo da mesa na hora do murro, ou fugido correndo para o meu quarto.

— Enrole já a ponta da toalha, Beá! Não está vendo que a água vai escorrer bem em cima de você? — ela mandou.

Eu obedeci.

Será que ela estava realmente preocupada com a água que estava escorrendo? Será que pretendia fingir que nada tinha acontecido? Queria acreditar que a jarra tinha virado sozinha? Ela não ia fazer nenhum comentário sobre o showzinho que acabávamos de presenciar?

Eu tentava inutilmente impedir o alagamento da mesa inteira, quando veio a mais inesperada pergunta:

— E você, filhinha, gostou da novidade?

Aquele "filhinha" não soou nada bem.

Minha mãe nunca me chamava de filhinha. Achei que aquele agrado podia ser uma espécie de chantagem para que eu ficasse do lado dela. Ou um pedido de socorro, sei lá. Depois da reação descontrolada do André, ela precisava contar com o apoio de alguém, mesmo que esse alguém fosse eu.

Confesso que até fiquei com pena da minha mãe. Parecia muito desamparada. Mas, mesmo assim, não consegui engolir o "filhinha".

— Não sei o que dizer, mãe. Também fiquei muito surpresa — respondi.

A surpresa era de verdade. Eu não estava mentindo. Nunca pensei que alguém poderia um dia querer casar com minha mãe. Ao contrário do André, eu achava que o cara é que devia estar louco, e não ela!

— Eu entendo essa sua sensação, Beá. Também foi uma surpresa para mim. O pedido de casamento do Marcelo foi bem inesperado. Eu nunca pensei que ele gostaria de casar novamente. Por isso seu gesto me comoveu tanto. E, bem, eu já aceitei. É isso. Até já marcamos a data.

Essa era a mãe que eu conhecia, não aquela do "filhinha, o que você acha?". Porque, afinal de contas, minha opinião não ia valer nada mesmo.

— Ah, então tá! — o André provocou — Você já acertou tudo pra se casar com esse cara e está apenas comunicando sua grande decisão.

— Não é bem assim, filho. Essa decisão só pode ser minha. Eu já estou sozinha há muitos anos. Acho que tenho todo o direito de me casar novamente. Ter um novo companheiro. Você não acha?

— Não, não acho — ele respondeu. — Acho que tudo devia ficar do jeito que está. Você na nossa casa e ele lá na casa dele. Cada um na sua. Sem essa história de casamento. Pelo menos enquanto a gente estiver morando com você. Você também não acha, Beá?

Eu não devia estar ouvindo bem. Agora era meu irmão que estava pedindo meu apoio? Deixei de ser transparente?

Me sentia em um fogo cruzado! Tiros para todo lado!

— Eu acho que a mamãe já é bem grandinha pra saber o que é melhor pra ela, André. — Também não estava mentindo, achava realmente que cada um deve decidir o que fazer com a própria vida. Mesmo que essa decisão não seja do agrado da maioria, de vez em quando.

— Claro que a Espiga não ia bater de frente — ele partiu para a baixaria. — Mas duvido que você esteja concordando com esse casamento. Vai, diz a verdade, sua covarde.

— Não é o caso de eu concordar ou não concordar. Só acho que isso não é da nossa conta — tentei me explicar.

— Você é mesmo uma lesada! Se concordar, seremos dois a um!

Minha mãe interferiu:

— André, procure entender, por favor. Nós não estamos competindo. Não é uma luta de vida ou morte. E, veja bem, eu não estou abandonando vocês.

— Ah, não está, é? Eu não sinto assim — ele contestou.

— Filho, eu vou apenas me casar, e isso independe da sua opinião.

Por trás dessas palavras que pareciam ter um tom definitivo, ela parecia muito abalada com a desaprovação do filhinho querido.

— Então quer dizer que é assim? — André ainda insistia.

— É assim o quê? — ela perguntou exasperada.

— É assim que você se importa com a nossa vida? Quando vai ser essa palhaçada? — meu irmão provocou.

— Daqui a dois meses. No mês que a gente faz um ano de namoro. Mais alguma pergunta sobre a "palhaçada", André? — ela quis saber.

— Quer dizer que seu namoradinho vai virar meu padrasto?

— O Marcelo vai ser seu padrasto, sim — ela corrigiu.

— Essa é boa! Vi o cara umas três vezes na vida e vou ter que morar com ele!

— Não viu mais porque não quis. Ele já veio aqui diversas vezes. E sempre pergunta por você — minha mãe devolveu.

— Que gentil! E você, irmãzinha Espiga, que vive enterrada aqui em casa, já conhece bem seu novo papai?

Vi que ele estava disposto a continuar na ofensiva suicida. Mas eu já tinha resolvido que não me enterraria com ele naquela batalha.

— André, dá um tempo. Será que você não percebe que não pode fazer nada? Deixa a mamãe viver a vida dela — pedi.

— Espiga, a vida dela vai mudar a vida da gente! Você não se toca? Ela é nossa mãe, tem obrigação com a gente primeiro! Você é uma ameba, mesmo!

— Pare de influenciar sua irmã, André. Não vai ser o fim do mundo, você vai ver. Mudanças podem ser boas — ela completou, olhando também para mim.

— Quando o Marcelo se muda aqui pra casa, mãe? — perguntei, tentando me mostrar um pouco mais solidária. Meu irmão estava passando dos limites.

— Essa é a outra novidade — ela anunciou. — Eu estava esperando o clima melhorar um pouco para dar essa outra notícia.

Olhou para o André e prosseguiu:

— Ele não vai se mudar para cá, Beá. Nós é que vamos nos mudar para o apartamento dele.

— O quê?!?

Aquela foi minha hora do espanto! A diferença é que eu não esmurrei a mesa.

— Nós dois pensamos muito e achamos que será bem mais confortável para todos — ela explicou, ainda olhando para o meu irmão. Estava na cara que temia uma nova reação.

— Mas só faltava essa! — ele rebateu. — Eu é que não vou me mudar pra casa de ninguém! Mais confortável pra quem? Só se for pra ele. Nem se casou e já está dando ordens! Viu só o que eu falei, Espiga?

— Nós achamos que no apartamento do Marcelo vocês poderão ter mais privacidade, mais conforto. Cada um vai continuar com seu quarto — minha mãe acrescentou. — Se ficássemos aqui, o André teria de dividir o quarto com o Chico.

— Chico? Que Chico? — meu irmão arregalou os olhos.

— O filho do Marcelo. Tem quase sua idade, está no terceiro ano do ensino médio.

Silêncio geral.

Agora eu também estava em pânico.

Casamento. Padrasto. Casa nova. Chico. Tudo numa noite só? Não, não podia ser verdade.

Contei até dez esperando que meu irmão continuasse o interrogatório, mas, de uma hora para outra, ele emudeceu.

— Vocês vão gostar do apartamento. É lindo. De cobertura! Tem uma vista maravilhosa! No início, claro que vamos estranhar, moramos em casa há tanto tempo, mas depois a gente aprende a conviver com as nuvens — ela falou, entusiasmada.

Fiquei na dúvida. Ou ela não tinha mesmo sensibilidade para perceber que estava sendo um pouco demais para nós dois, ou não estava nem aí para a nossa opinião. Fosse o que fosse, uma coisa era certa, ela estava definitivamente muito romântica. Conviver com as nuvens. Essa piada só deve pegar para piloto ou passarinho.

André permanecia mudo. Como eu.

— Você vai gostar, André, é bem mais perto do seu cursinho! E Beá, olha só, você pode ir sozinha para o colégio. Sem perua. São poucas quadras. E tem uma piscina no terraço, você pode chamar seus amigos, querida...

Amigos? Eu? Querida? Com quem ela está falando? Comigo? Mas ela sabe muito bem que meus amigos caberiam em uma piscininha de plástico para bebês! E por acaso não é ela quem vive jogando na minha cara que eu sou uma isolada, uma antissocial, uma... Amigos na piscina? Ela tinha surtado. Não dava mais para ficar sonhando os sonhos da minha mãe naquele momento.

Algo me dizia que era melhor sair de cena. Deixar as coisas como estavam para não correr o risco de estragarem ainda mais. Até porque, para piorar, eu começava a sentir aquele conhecido peso no estômago, aquela náusea que sempre me pega desprevenida quando perco o controle do que está acontecendo. E eu não sabia mais nada do que aconteceria comigo nos próximos minutos, nos próximos meses, nos próximos anos...

— Mãe, posso subir agora? Estou muito cansada, sério mesmo — justifiquei.

— Já vai se isolar de novo na sua bolha, Beá? — ela soltou a pergunta de sempre.

Pronto, ela tinha voltado ao normal. Talvez eu precisasse ser mais delicada para conseguir sair rapidamente daquele ringue.

— Não é nada disso, mãe. Eu só estou cansada. Mas, se você quiser conversar, se tiver mais alguma novidade pra nos contar, aí eu fico, sem problemas...

Ter mostrado um pouco de interesse fez com que ela me liberasse.

— Não, Beá, por enquanto é só isso — ela insistia naquele "só isso". — Depois a gente combina com calma as próximas etapas da mudança. Vai dar trabalho, mas valerá a pena, vocês vão ver.

Eu nunca tinha mudado de casa.

De repente me imaginei sendo encaixotada com todas as coisas do meu quarto. Depois, sendo transportada num caminhão para algum lugar que eu não conhecia. Fiquei mais enjoada ainda. Com aquela sensação de quem está engolindo litros de saliva por minuto, o que indicava que eu podia vomitar a qualquer momento se não conseguisse me acalmar.

Eu já estava saindo da sala de jantar, quando minha mãe disse:

— Eu só queria que vocês soubessem que o Marcelo e eu estamos muito felizes. Ele é uma pessoa muito especial, vocês vão ver.

— Bom pra vocês — o André interrompeu —, porque eu não vou pra casa de Marcelo nenhum!

— O que você está querendo dizer com isso, André? — ela perguntou, arregalando os olhos.

Eu dei um passo para trás e encostei na parede ao lado da porta. Também estava me fazendo a mesma pergunta: o que ele estava querendo dizer?

— Eu faço 18 anos em maio, não faço? Então já posso decidir por mim. E acabo de decidir que vou morar com meu pai. Ele sempre me convidou, eu sempre recusei. Agora resolvi aceitar. Pronto, é isso. Gostou da novidade?

— Mas seu pai vive viajando, como é que ele vai poder cuidar de você? — Minha mãe estava com uma expressão de pânico. Dava pena.

— Eu já sou bem grandinho e sei me cuidar. E mudanças são boas... Você vai ver, mãe — ele completou, irônico.

Era preciso reconhecer: o André foi capaz de me surpreender.

Minha mãe, então, ficou pálida, petrificada e muda. Não é fácil deixá-la sem saber o que falar. Estava na cara que ela não esperava esse tipo de atitude dele, principalmente dele, seu queridinho, seu preferido.

E eu fiquei morta de inveja ao ver como ele conseguiu escapar da cilada em que nos encontrávamos. Achou um atalho inesperado. E, como é egoísta, só pensou nele. Tirou a pedra apenas do meio do seu caminho.

E quem sobrou? E quem sobrou? Eu, é claro.

O que você faria se sua mãe dissesse que você vai ganhar um padrasto, que mal conhece, e, de brinde, um quase irmão de 18 anos, este sim, completamente desconhecido? O que você faria se soubesse que vai se mudar da casa em que nasceu e viveu por mais de 14 anos, para um bairro desconhecido, um apartamento desconhecido, um quarto desconhecido? E que seu irmão, seu único irmão, mesmo que seja um pentelho, não vai mais dormir no quarto ao lado do seu?

Senti o bolo no estômago começando a aumentar e precisei sair correndo para vomitar.

Claro que não deu tempo de chegar até o banheiro.

Sujei os últimos degraus da escada com o pouco que tinha conseguido jantar.

Tudo ficou com cheiro de azedo. Eu, inclusive.

Enquanto limpava o chão com papel toalha e desinfetante, fiquei ouvindo minha mãe chorar na sala de jantar. Meu irmão tinha batido a porta ao sair de casa.

Mesmo depois de ter me lavado e escovado os dentes, aquele gosto ácido permaneceu na minha boca a noite toda.

Tudo, tudo pode piorar na vida da gente.

É verdade! Acredite em mim. E isso eu não aprendi nos livros!

Capítulo 4

Câmera!

Chico

Ainda não sei se esta noite eu participei de uma comédia, de um drama ou de um programa de autoajuda do tipo "como dar notícias bombásticas para seus filhos sem traumatizá-los". Algo leve como o atentado ao World Trade Center ou como o massacre de madraçais cheias de criancinhas no Afeganistão.

Meu pai é um homem extremamente previsível. Desde que minha mãe morreu, se me convida para ir a um restaurante é porque quer conversar, se aproximar, saber de mim. Sei que é um pretexto para estar comigo e, se posso deixá-lo satisfeito fazendo tão pouco, por que não?

Meu pai procurou me agradar do início ao fim dessa nossa "noitada". Uma tática infantil que quase sempre dá certo. Eu disse quase; também não sou alguém que se vende por qualquer agradinho.

Ele pediu que eu escolhesse o tipo de comida e sugerisse o restaurante. Sinal de que tinha alguma coisa muito importante para me falar.

Eu não me sentia nada disposto a passar a noite conversando com ele. Pra dizer a verdade, não me animava nem um pouco em sair de casa ultimamente, o que é uma coisa muito rara, tratando-se de mim. Nada de cinema, de balada, nada de barzinho, nada de fuçar em sebos procurando vídeos e trilhas sonoras de filmes antigos. Nada de me divertir.

Agora acrescente a todo esse meu entusiasmo uma bengala, um pé imobilizado e a sensação de estar perdido, sem rumo, com milhões de dúvidas e nenhuma certeza de nada. Dá pra ficar animado?

Meu pai não quis saber da minha sugestão de pedirmos uma pizza ou comida chinesa delivery. Disse que fazia tempo que não jantávamos fora, no que tinha toda razão, mas era ele quem não parava mais em casa depois que começou a namorar a tal da Denise.

Como não arranjei melhores argumentos e não quis apelar para truques baixos, lá fomos nós.

Eu esperava sinceramente que meu pai não tivesse escolhido aquela noite para ter uma conversa "de homem pra homem", que é como ele costuma introduzir os assuntos que considera sérios.

»

A primeira vez que ele usou essa expressão comigo foi poucos dias antes da minha mãe morrer. Voltávamos do estádio, onde tínhamos assistido a um clássico do nosso time e ele me perguntou: "que tal um hambúrguer com milk-shake?".

Claro que eu topei. A nossa vida não andava nem um pouco light. Muito pelo contrário. Minha mãe estava hospitalizada havia algumas semanas e ele se empenhava em fazer com que meus fins de semana não girassem apenas em torno da doença e da dor.

Foi o último milk-shake que eu tomei na vida. Nunca mais quis saber de sentir aquele gosto em minha boca. Ainda hoje, quando vejo um deles, a sensação de desespero daquele dia volta como um flashback macabro.

Meu pai esperou que eu terminasse o hambúrguer e as batatas para iniciar a tal conversa "de homem pra homem". Antes desse momento quase não falou nada. Eu tentava conversar sobre a partida de futebol. Ele comentava alguma coisa e, às vezes, eu percebia que ele nem me ouvia, tão distante estava dali.

Então ele viu que eu já tinha terminado, ou vai ver estava só ganhando coragem para iniciar a conversa.

O que me lembro é que eu estava com o canudinho na boca, fazendo força, porque o milk-shake estava muito sólido, quando ele soltou a tal expressão "de homem pra homem". Pensei que meu pai finalmente estava me vendo como um adulto em potencial, e quem sabe permitisse agora que eu o acompanhasse em suas sagradas partidas de futebol com os amigos nas quartas-feiras à noite.

Mas o "de homem pra homem" foi o jeito que ele encontrou para me dizer que eu deveria ser forte e corajoso, porque "A mamãe nunca mais vai voltar pra casa, Chico".

Eu sei que já tinha 13 anos e não era tão estúpido a ponto de não perceber a seriedade da doença dela ou a verdade que estava implícita naquelas palavras. Mas era medroso o suficiente para aceitar o que ele estava tentando me dizer.

Então fiz a pergunta mais estúpida da minha vida e continuei a tomar meu milk-shake:

— Você está querendo dizer que ela vai ficar no hospital pra sempre?

Meu pai começou a chorar e não respondeu.

Não repeti a pergunta. Não precisava.

Empurrei o copo para o lado. Ele não conseguia olhar para mim. Só que eu precisava que ele confirmasse o que eu tanto temia:

— Ela está morrendo, é isso, pai?

Ele apenas acenou que sim com a cabeça e pegou minha mão. Eu esbarrei o cotovelo no copo, que virou sobre a mesa, lambuzando a manga da minha blusa. Ficamos assim só alguns minutos, acho. Porque a garçonete logo veio limpar a mesa e ele largou minha mão e correu em direção ao banheiro.

Voltou mais calmo, com os olhos ainda vermelhos, e disse:

— Ela vai precisar muito da nossa ajuda nos próximos dias, enquanto estiver lúcida. Depois, quando as dores se tornarem insuportáveis, ela vai ser sedada e não conseguirá mais se comunicar conosco.

Eu:

— Ela sabe disso tudo?

Meu pai disse que sim.

Eu:

— Ela sempre soube?

Meu pai confirmou.

Eu:

— E ela está sabendo que você ia me contar?

Ele:

— Foi ela quem me pediu pra te contar, Chico.

Aí eu desabei a chorar.

Eu:

— Por que isso está acontecendo com ela, pai? Por que isso está acontecendo com a gente, hein?

Ele:

— Não existe razão pra muita coisa neste mundo, Chico. A gente não tem o que fazer e será preciso aceitar, querendo ou não.

Eu:

— Eu nunca vou aceitar. Nunca, nunca, nunca!

Ele:

— Mas precisa. Até sua mãe já aceitou.

Eu não queria, não podia e não admitia que alguém pudesse aceitar uma coisa daquelas. Para mim, aceitar a doença e a futura morte da minha mãe era como se eu não me importasse verdadeiramente com ela.

Olhava para meu pai, ali calado, e me perguntava em silêncio: como a gente pode aceitar o que não faz o menor sentido? Por que algumas pessoas adoecem e outras não? Por que algumas se curam e outras morrem? Por que justamente com minha mãe?

Tinha dificuldades para entender como meu pai estava conseguindo conviver com a ideia de que ela nos deixaria. E, mais estranho ainda, era impossível para mim compreender como minha mãe podia aceitar que sua própria vida estava chegando ao fim.

Aquela conversa me deixou arrasado.

Fiquei completamente mudo até chegar em casa. Meu pai também.

Fui direto para o meu quarto. Queria me isolar. Encontrar uma maneira de fingir que aquilo não estava acontecendo de verdade. Que era tudo ficção.

Coloquei um DVD que eu adorava, mas não consegui prestar atenção.

A notícia da morte da minha mãe me trazia para a realidade, junto com um insuportável sentimento de culpa. Não parava de repetir dentro de mim: "minha mãe vai morrer, minha mãe vai morrer... e a culpa é minha, é minha".

Sentia que a doença dela me denunciava. Achava que a responsabilidade de tudo o que estava acontecendo com ela só podia ser minha. Que minha mãe ia morrer para que eu fosse severamente punido. Para que eu sofresse muito e me sentisse culpado para o resto da vida.

Naquela época eu não entendia direito o que estava acontecendo. Por que às vezes me achava tão estranho? Por que tinha alguns pensamentos que me surpreendiam e me assustavam? Por que ficava tão desconfortável por sentir as coisas que eu sentia? Pensar nas coisas que eu pensava?

Me via sozinho e envergonhado. Não tinha com quem falar sobre o que se passava comigo. E tinha medo. Muito medo de não corresponder ao que meus pais esperavam de mim. Estava confuso e não via saída. Não queria ser como eu era. E não sabia o que fazer para não ser.

Se eu era igual aos outros meninos em tudo, por que me sentia tão diferente deles quando o assunto tinha a ver com garotas? Por que eu tinha tanto pavor de reconhecer que eram os garotos que me interessavam?

Lembro que, naquela noite, de tanto desespero, acabei fazendo uma promessa.

Amarrei no pulso uma fitinha de Nosso Senhor do Bonfim que eu tinha guardada e prometi que, se minha mãe começasse a melhorar subitamente, se seu diagnóstico pessimista fosse substituído por uma cura milagrosa, então eu faria tudo o que estivesse ao meu alcance para ser como todo garoto. Para ser como o Johnny.

Prometi que só olharia para as meninas. E ia namorar e casar e ter muitos filhos. Também prometi que procuraria algum tratamento, sei lá, algum médico ou remédio que me ajudasse a controlar o que eu estava sentindo. Prometi que apelaria para qualquer religião que conseguisse afastar os pensamentos estranhos que eu tinha. Até fazer voto de castidade eu fiz... Qualquer coisa que pudesse me livrar da culpa e trazer minha mãe de volta para casa.

Claro que minha mãe não melhorou. Claro que minhas promessas eram impossíveis de ser cumpridas.

Dia após dia ela mostrava que se despedia da vida e de nós.

Sua capacidade de nos confortar era espantosa. Nunca se mostrava infeliz ou revoltada com seu destino. Como se estivesse desempenhando um papel há muito tempo ensaiado.

Um dia ela me perguntou como eu estava.

— Mais ou menos — respondi.

Mas percebi que não era o que eu de fato sentia, e acrescentei:

— Estou mal, estou péssimo, estou com raiva de tudo. Não quero que você morra, mãe, não quero ficar sem você.

Ela pediu que eu me aproximasse mais de sua cama e me disse:

— Chico, Chico... eu também não quero deixar você. Mas não posso fazer nada. Você entende? Agora a gente precisa ser forte. Você, que vai ficar. E eu, que vou partir. Vamos pensar que a gente fez o melhor possível enquanto estivemos juntos, não foi?

Eu disse que sim.

— E você e eu sabemos muito bem que só as comédias românticas têm final feliz, não é mesmo?

Eu concordei com a cabeça. Ela acariciou o meu rosto e perguntou:

— Sabe aquele filme *Billy Elliot* a que a gente assistiu?

Claro que eu sabia. Eu adorava aquele filme.

— Então — ela prosseguiu —, no meio de tanto drama, parecia que a história do Billy teria um final feliz?

Eu me esforcei para sorrir. Lembrei que, quando assisti ao filme pela primeira vez, fiquei com uma estranha inquietação o tempo todo. Achava que aquele garoto jamais conseguiria ser feliz. Aquela família jamais seria capaz de aceitá-lo como era. No fundo, sentia que eu era um pouco como Billy.

Mamãe parecia ler meus pensamentos. Sempre.

— Chico — ela continuou —, lembra que o Billy nunca desistiu dos seus sonhos, mesmo com todos os obstáculos? A mãe dele morre, o pai e o irmão não aceitam que ele goste de dançar. E lembra que ele tinha apenas um único amigo com quem compartilhava seus segredos?

— Eu sei, mãe, eu vi o filme um monte de vezes com você, se esqueceu? — perguntei.

— É que, contando agora pra você, Chico, fico com a impressão de que a gente está vendo o filme de novo. Posso continuar? — ela insistiu.

Eu fiz que sim com a cabeça. Claro que ela podia continuar. Aquele filme sempre me impressionou muito. Eu o sabia de cor. Parte por parte. De como Billy se sentia culpado por mentir, por ir à aula de balé e não à de boxe. Mas sabia que seu pai não aprovaria. E ele não tinha coragem de decepcioná-lo.

— Lembra, Chico — minha mãe prosseguiu —, de quando o Billy começa a sentir muita vergonha de si mesmo, porque achava que havia alguma coisa errada com ele? Lembra que ele escondia as sapatilhas de balé debaixo do colchão? Que treinava os passos complicados trancado no banheiro?

Sim, eu me lembrava, pensei. Os meninos daquela cidade aprendiam a lutar e não a dançar. Então respondi:

— Lembro, mãe, lembro de tudo. E lembro também como a gente chorou na hora em que o pai dele o pegou dançando. E o Billy não fugiu. Se encheu de coragem e mostrou tudo o que sabia. Foi a partir desse dia que ele passou a contar com o apoio da família.

— Mas o apoio da família só aconteceu, Chico — minha mãe explicou —, porque o Billy nunca desistiu, mesmo sabendo que seus ideais não correspondiam ao que esperavam dele. Sua determinação e o desejo de ser ele mesmo fizeram com que vencesse e se tornasse um homem e um bailarino de verdade.

Mamãe estava emocionada, dava para ver como estava se esforçando para não chorar. Então eu disse:

— Mas ele se deu mal algumas vezes até conseguir que acreditassem nele, mãe, e deve ter sofrido quando estava sozinho, longe de casa. — Eu me sentia o próprio Billy, quando me imaginava sem minha mãe, depois de sua morte.

— É uma bonita história — minha mãe finalizou. — Às vezes, histórias como essa podem nos dar alguma espécie de conforto, principalmente quando a gente se sente numa rua sem saída. Seja um pouco Billy depois que eu não estiver mais com você, querido.

Primeiro eu caí no choro, depois ela também caiu.

Naquela hora eu tive a impressão de que minha mãe estava querendo me dar alguma espécie de recado. Mas só depois da sua morte fui capaz de entender o que ela procurou me dizer por meio da história do filme.

Sem que eu precisasse contar nada, ela mostrou que já sabia muito sobre mim.

Mamãe morreu alguns dias depois dessa nossa conversa. Ela estava completamente sedada e, segundo os médicos, não sentiu dor.

Sem que meu pai soubesse, passei os dias que antecederam sua morte fazendo uma homenagem para ela. Editei alguns vídeos de família, selecionando algumas passagens de sua vida. Queria que uma pessoa como minha mãe, tão absolutamente cheia de vida e de generosidade, fosse para sempre lembrada em plena vitalidade, não em sua fragilidade.

No dia da missa de sétimo dia da morte dela, convidei as pessoas presentes, apenas as mais íntimas, para que fossem lá em casa. Foi o jeito que encontrei para mostrar que minha mãe, de alguma maneira, permanecia com a gente, principalmente comigo.

Meu pai, que não sabia o que eu tinha preparado, ficou muito emocionado e pediu para falar um pouco sobre ela. E assim nos contou como a conheceu, como se apaixonou por ela e como foi viver ao lado de uma mulher tão especial. Outros convidados, como meus avós, tios e alguns amigos, também se manifestaram, cada um trazendo alguma lembrança de um período da vida de mamãe. Sentimos que ela esteve de alguma maneira ao nosso lado, durante toda a reunião. Em cada depoimento eu pude comprovar um pouco mais a sorte que tive em ter uma mãe como ela.

Foi a primeira vez que banquei uma ideia toda minha, sem compartilhá-la com ninguém. Acreditei e fui em frente. Acho que minha mãe teria se orgulhado. De certa maneira, fui um pouco Billy Elliot.

Infelizmente eu não estava enganado sobre as intenções do meu pai durante o jantar. Assim que chegamos ao restaurante, entre a entrada e o prato principal, papai anunciou que precisávamos ter uma conversa "de homem pra homem".

"Pronto", pensei. Gelei. Ferrou. Tinha chegado a hora. "Será que o Johnny, quer dizer, o João, contou pros pais dele, que falaram pro meu pai, que não acreditou e, óbvio, resolveu tirar essa história a limpo?" Fiquei pensando em como pude ter sido tão ingênuo, confiando na palavra de um cara que teve coragem de rejeitar seu melhor amigo.

Procurei me fortalecer antes de encarar aquela batalha. E disse para mim mesmo, lembrando dos conselhos da minha mãe: "Se chegou a hora, seja o personagem principal da sua história".

Como se fosse fácil.

Então fui me dando conta de quanto meu pai estava nervoso. Sua voz não tinha naturalidade e suas mãos massacravam um pedaço de pão.

Fiquei imaginando se não era meu pescoço, no lugar daquele pão, que ele queria torcer entre os dedos. Procurei não mostrar ansiedade ou desespero, ainda que estivesse suando frio.

Ele prosseguiu:

— Você sabe quanto eu amava sua mãe, não sabe?

Respondi:

— Claro que sei. — Ainda que não entendesse a relação entre os sentimentos dele por minha mãe e minha orientação sexual.

— Sua mãe foi o grande amor da minha vida, e você...

Eu estava muito nervoso e achando aquele papo sem pé nem cabeça. Não me segurei e o interrompi:

— Ah, pai, você não vai me dizer que eu fui o fruto desse amor... É muito clichê!

Meu comentário fez com que ele se perdesse, parecia que eu tinha tirado o script da mão dele. Não sabia mais como prosseguir. Baixou um silêncio. Sem querer, nossas mãos disputaram o último pedaço de pão que havia no prato.

— Fique com ele — meu pai falou —, eu já comi demais.

Então, enquanto eu molhava o pão no azeite e no sal, tentando parecer muito natural, ele explicou:

— Sabe, Chico, eu ia dizer que, depois que sua mãe morreu, foi você quem me manteve em pé. Mas o tempo passou, você cresceu, tá quase um homem, tem sua vida, seus amigos, vai fazer faculdade, vai acabar saindo de casa, e eu, bem, estou me sentindo muito sozinho.

Eu estava impaciente, não sabia aonde ele queria chegar. De qualquer maneira, seria muito bom se ele encurtasse um pouco o caminho. Por que não ia direto ao ponto? Só para me provocar um ataque de pânico em pleno restaurante?

— Não quer editar esse filme, pai? — pedi, sorrindo.

Meu pai não estava nada confortável. Imaginei que não fosse fácil também para ele iniciar um assunto tão delicado.

— Então, bem — ele prosseguiu —, você sabe... você sabe que eu estou namorando a Denise há algum tempo. É, há quase um ano. E a gente, bem, a gente se dá muito bem, ela é uma mulher encantadora e, bem, é melhor eu falar logo de uma vez... Lá vai: acho que chegou a hora de me casar novamente.

Apesar de a notícia ser bem melhor do que o “de homem pra homem” que eu temia enfrentar, não posso negar que fiquei desorientado. Claro que cheguei a pensar na hipótese de meu pai vir a se casar algum dia, mas considerava uma possibilidade muito remota.

Ele:

— Queria que você soubesse que a Denise jamais vai ocupar o lugar que era da sua mãe.

Eu:

— Pai, fica tranquilo, não precisa se justificar.

Ele, nada à vontade:

— O casamento vai ser agora em maio.

Eu, irônico:

— Ok, em maio, tudo bem.

Ele, inseguro:

— Parece que você não ficou muito animado.

Eu:

— Imagina, estou adorando a ideia de entrar na igreja de gravata-borboleta, segurando as alianças numa almofadinha...

Ele:

— Esse seu sarcasmo é idêntico ao da sua mãe. Mas já estou vacinado. Suas frases de efeito não me abalam mais, Chico. Olha, nada de igreja, só uma cerimônia civil. E tem outra coisa que você precisa saber.

Eu:

— Manda.

Ele:

— Denise tem dois filhos. Um rapaz de quase 18, como você, e uma menina de 14.

Eu:

— Você vai casar ou abrir uma instituição para jovens?

Meu pai estava visivelmente desconfortável diante da minha reação. Para dizer a verdade, até eu estava surpreso.

Ele:

— O garoto, André, já avisou que vai morar com o pai. Parece que ele não aprovou o casamento da mãe, bem, o nosso casamento. Já a Maria Beatriz virá com a Denise. Ela parece uma menina reservada, bem na dela.

"O cara enlouqueceu. Era o que me faltava", eu pensei. "A família vai crescer substancialmente. Seremos papai, mamãe e filhinhos."

Eu:

— Adeus, tardes de solidão. Adeus, silêncio. Adeus, privacidade.

Ele:

— Chico, você não vai fazer um único comentário que eu possa levar a sério?

Eu:

— Eles também têm um poodle de estimação?

Ele, intrigado:

— O que está acontecendo com você? Deve ser alguma coisa muito grave pra reagir dessa maneira. O que é, posso saber?

Achei que eu estava pegando pesado. Realmente meu mau humor não tinha nada a ver com ele ou com seu futuro casamento.

Eu:

— Não é nada não, pai. Desculpa, tá? Você tem todo o direito de casar. Estou contente por você, acredite. E acho que até a mamãe gostaria de ver como você está feliz de novo.

Se ele acreditou de fato no que eu disse, não sei.

Sei que abriu um sorriso, que me deu um abraço apertado e agradeceu.

Por um lado eu gostava muito de ver meu pai recuperando a vontade de viver. Mas não estaria sendo sincero se dissesse que me sentia animado com a ideia de ter minha casa invadida por uma família da qual eu não sei nem o sobrenome.

Já pensou o que é acordar e ter de dizer bom-dia para uma mulher de pijama que não é sua mãe? Ou encontrar uma adolescente deitada no sofá e pedir licença para mudar o programa na tevê da sua casa?

Ele:

— Você vai gostar da Denise, Chico. Mas ela é bem diferente da sua mãe.

Fiquei pensando no que ele queria dizer com aquele "diferente".

Eu:

— Ela gosta de cinema?

Ele:

— Parece que sim, já fomos ao cinema algumas vezes. E ela saiu bem entusiasmada.

"Bom, quem sabe", pensei. "Pode não ser tão ruim."

Eu:

— Ah, é? E a quais filmes vocês foram assistir?

Ele:

— Deixa ver se me lembro. Você sabe que nunca consigo lembrar o nome dos filmes. Essa parte ficava com sua mãe. Bom, e agora com você. Quero ver se eu me lembro... um deles foi com o Richard Gere, um *love story* trágico, com direito a muitas lágrimas, o cara morre no final. Ela adorou.

Eu:

— Aaahh, interessante...

Ele:

— Outro foi aquele nacional, com aquele casal protagonista da novela, sabe qual é? Ela também gostou muito. Riu pra caramba.

Não precisava falar mais nada.

Ela entendia tanto de cinema quanto eu de pesca submarina.

Estávamos na sobremesa quando meu pai virou para mim e perguntou:

— É impressão minha ou esse moço ficou a noite toda de olho em você?

Engasguei e quase cuspi o que estava comendo:

Eu:

— Que moço, pai?

Ele:

— O garçom que nos atendeu. Ah, tá brincando, vai dizer que você não percebeu.

Era verdade. Eu já tinha reparado. E ele até que era bonitinho. Mas eu estava tão de mal com a vida que nem liguei. Até porque não era louco de dar bandeira na frente do meu pai.

Eu:

— Não reparei não, pai. Por quê?

Ele:

— Por quê? Vai, Chico, tenha dó. O cara só faltou sentar na nossa mesa. É uma sensação muito, muito estranha ver meu filho sendo paquerado por um homem! — De alguma maneira ele conseguiu me surpreender com sua percepção.

Eu provoquei:

— Então espera aí que vou pedir o celular dele e já volto.

Ele arregalou os olhos:

— Cê não tá falando sério, tá? Era só o que me faltava.

Eu comecei a rir, mas de nervoso, e ele me acompanhou, achando que eu estava realmente brincando. Podia ter ficado por aí. Devia ter ficado por aí. Nos dias em que a gente não está muito bem, a melhor coisa que se pode fazer é falar o menos possível. Mas não aguentei.

Eu:

— Por quê? Você é daquele tipo de pai que prefere ter o filho morto, ladrão ou drogado a ter um filho gay?

Eu armei a bola e, claro, meu pai chutou para o gol.

Ele:

— Não exagera, Chico. Mas me diz uma coisa, você conhece algum pai ou mãe que gostaria de saber que seu filho ou filha é homossexual?

Devia de novo ter parado por aí, mas não quis deixar barato.

Eu:

— Me diz uma coisa, qual o critério para os pais amarem seus filhos: o que eles são ou com quem eles dormem?

Ele:

— Nossa, Chico, você resolveu pegar no meu pé hoje, não é? Acho que escolhi a noite errada para sairmos.

Eu:

— Bem que eu avisei, mas você não quis me escutar, ficou insistindo pra sairmos hoje...

Ele:

— Ah, então está explicado. E você, de vingança, resolveu bancar o implicante a noite toda, só pra provar que estava certo. Bela tática, um pouco infantil, mas devo confessar que você está sendo bem eficiente.

Eu:

— Obrigado, eu e os militantes LGBT agradecemos...

Não sei onde eu estava com a cabeça para dar uma resposta como aquela, mas quando vi já tinha saído.

Ele:

— Me diga uma coisa, Chico, por que você está querendo discutir esse assunto? Algum motivo especial?

Eu:

— Mas foi você que começou esse papo com a história do garçom me paquerando!

Ele:

— Foi só uma observação, filho, e você está fazendo virar uma novela.

Eu:

— Novela não, um filme, por favor.

Ele:

— Você sabe muito bem que eu não tenho nada contra homossexualidade, até tenho amigos e um primo que são gays...

Eu:

— Como é que é? *Até* tem amigos gays?

Ele:

— O que você quer dizer com isso? Não entendi a piada.

Eu:

— É que você falou igual às pessoas racistas dissimuladas que dizem: mas eu não tenho preconceito, até tenho amigos negros... Francamente pai, acho melhor a gente ir embora, que tal?

Ele:

— Chico, Chico, o que é que tá acontecendo, me conta, vai? Além de ter brigado com o Johnny, você levou um fora de alguma garota, foi isso?

Eu:

— Nada a ver, pai, chega desse papo, por favor.

Ele:

— Só você pode me alugar, é? Quer saber o que eu penso? Acho que tem algum triângulo amoroso nesse seu mau humor. Vai, me conta. Por acaso o Johnny e sua garota te aprontaram alguma? Aí você resolveu descontar a dor de corno no seu pai, não foi?

Pelo menos ele não estava perguntando quando eu ia levar minha namorada para ele conhecer, como tantas vezes fazia.

Eu:

— Já falei que nada a ver, pai.

Ele:

— Então tá. Não quer falar, não fala. Quer saber de uma coisa? Estou feliz, vou me casar novamente e não será um fedelho com pé de robô que vai tirar meu bom humor! Quer uma ajuda pra levantar?

Eu:

— Não, pode deixar, eu peço ajuda pro garçom que tá me paquerando...

Saímos do restaurante.

No carro ele ficou falando do casamento, da família da Denise, dos planos para o futuro. Ele se mostrava animado, mas às vezes eu sentia na voz dele alguma insegurança com as mudanças que estavam por vir.

Há muito eu não via meu pai com tanta vontade de viver. Estava gostando. Disse isso a ele. Ele confirmou e agarrou minha nuca com a mão direita, como costumava fazer desde que eu era pequeno, quando queria me mostrar que estava do meu lado.

De repente, deixou o assunto do casamento de lado e quase me matou de susto.

Ele:

— Posso te fazer uma pergunta? Se não quiser responder, tudo bem, eu entendo. Seu amigo Juca é gay, não é?

Abri o vidro do carro para não morrer de falta de ar.

Ele tinha me dado a opção de não responder. Mas eu não queria fazer isso. Por ele, pelo Ju e também por mim. Negar seria, de alguma maneira, negar a mim mesmo.

Ele:

— Já te disse que, se não quiser responder, eu entendo. Não tenho nada a ver com a vida desse menino.

Respirei e confirmei. De certa forma, poderia ser um começo.

Eu:

— Ele é gay, sim, pai.

Ele:

— E tudo bem pra você?

Eu:

— Claro que tudo bem. Por quê, algum problema?

Ele:

— Sei lá. Eu também não me importo.

Eu:

— Não? Então por que perguntou? Eu não vou ficar colocando etiqueta nos meus amigos: este é hétero, este é gay...

Ele:

— Olha, filho, o Juca, ou qualquer amigo seu, sempre será muito bem-vindo em nossa casa.

Eu só consegui dizer:

— Legal.

Então ele voltou a falar do casamento, da Denise e de como ia ser estranho ter uma enteada adolescente em casa.

Fiquei olhando meu pai enquanto ele falava. Por que estava perguntando sobre o Ju apenas agora, se o conhecia havia alguns meses? Por que hoje, pela primeira vez, fez questão de mostrar que percebeu um homem me observando? O que ele estava querendo me dizer? O que não teve coragem de perguntar?

Minha mãe não se encheria de orgulho de mim nesta noite. Não fui um Billy Elliot.

Entrei no meu quarto com vontade de me dar uma bengalada na cabeça.

Na cabeça e naquela velha e conhecida sensação de covardia, por ter deixado passar mais uma chance de me abrir com meu pai.

O que mais eu queria além da boa oportunidade que ele me deu e que eu não aproveitei? Que ele também me desse garantia de que não me rejeitaria, como o Johnny? Que continuaria a me amar e me apoiar da mesma maneira? Tá bom, eu queria tudo isso, mas faz tempo que eu não acredito mais na imortalidade dos pais, então por que acreditaria no amor incondicional?

Uma coisa eu sabia: o Juca não é filho dele. E como ele teria reagido se eu tivesse respondido de outra maneira à pergunta que me fez?

Alguma coisa mais ou menos assim:

"Sim, o Ju é gay. E, muito prazer, pai, eu também sou. Mas isso pode ser apenas um detalhe, você não acha? Porque eu não sou só gay.

"Tenho 17 anos, quase 18, vou me formar este ano no ensino médio e prestar vestibular para cinema. Você pode até continuar achando que não terei muito campo profissional e preferir que eu faça publicidade ou coisa parecida. Mas, me diz uma coisa, o que seria do cinema se Hitchcock, Tarantino, Almodóvar e Gus Van Sant só tivessem filmado comerciais para a tevê?

"Tenho um blog chamado CineBilly, em que escrevo minhas impressões sobre os filmes a que assisto, você sabia? Outro dia mostrei para você, mas acho que você não prestou muita atenção. Nesse blog eu também coloco algumas das produções que faço em vídeo. Tudo amador, é claro. E alguns clipes e alguns remakes. Não posso dizer que tenho um fã-clube, mas tem gente que gosta e que comenta. Isso me estimula. Quando sinto que acertei, posto também no YouTube.

"Gosto de escrever roteiros para curtas, mas pensar num longa ainda me assusta. Preciso ter mais fôlego. Ter mais idade, ter mais coisa para contar.

"Ouço música o tempo inteiro, isso você sabe. Duas coisas sem as quais não conseguiria viver: cinema e música. Algumas músicas eu escolho como trilhas sonoras da minha vida. Você já ouviu uma banda chamada Antony and the Johnsons? Se meu coração pudesse ter alguma voz, eu escolheria a voz desse cara, pai.

"Desde que me entendo por gente, gosto de viajar, de futebol e de cozinhar. Isso você também já sabe. Detesto todos os tipos de violência. Todos os tipos de preconceito. Todos os tipos de exclusão.

"Nunca gostei de matemática, de jogar videogame, de café e de namorar garotas. Gosto de filosofia, de jogar xadrez, de tomar cappuccino e de conversar com minhas amigas mulheres.

"Você pensa que é hétero, pai, quando está trabalhando ou lendo jornal ou dirigindo ou telefonando? Pois é. Você é o Marcelo. Sabe, pai, quando eu estou jogando uma partida de futebol ou estudando ou andando de ônibus ou indo ao cinema ou postando no meu blog, nunca paro para pensar se sou gay. Eu sou o Chico."

Capítulo 5

Do caminho

Beá

Você já deve ter ouvido a expressão "o mundo dá muitas voltas", não ouviu não?

Ficava pensando: tá bom, que o mundo dá voltas isso qualquer criança que conseguiu entender o conceito de rotação da Terra já sabe, mas na vida das pessoas e não na dos astros, o que isso quer dizer?

Na literatura até que é fácil reconhecer esse fenômeno acontecendo. A vida dos personagens vai se transformando e tomando caminhos inesperados. Aí a gente também vai percebendo que esses personagens são meio que uns bonecos com os quais o escritor "brinca de casinha", fazendo o que bem quer com a vida deles. Assim como as meninas fazem: agora você vai comer papinha, agora você vai trocar de roupa, agora você vai visitar a vovó, agora você vai dormir. E o personagem, coitado, como uma boneca, não tem outra escolha senão obedecer ao seu autor. Às vezes tem a sorte de ser "filhinho" de um escritor "bonzinho", que gosta de finais felizes etc.; às vezes é "filhinho" de um escritor que está meio de mal com a vida, e sua história acaba ficando mais interessante, é verdade, mas também muito mais complicada.

Tenho uma teoria. A expressão "o mundo dá muitas voltas" pode ser usada quando a gente quer acreditar que as coisas vão melhorar. Assim: se não está acontecendo nada de bom na sua vida, saber que as coisas nunca estão definitivamente no mesmo lugar, e sim em constante movimento, pode dar certa esperança.

Por outro lado, saber que você pode estar por cima numa hora e em outra pode estar na pior chega a dar certo desespero. Nesse caso, a expressão "o mundo dá muitas voltas" deve ser usada como um lembrete, para a gente não esquecer que pode se dar mal a qualquer momento.

Claro que o bom seria se na vida existisse um pouco de justiça na distribuição das sortes e das desgraças, mas essa é uma visão otimista que quem usa óculos definitivamente não tem.

Até hoje eu estava convicta de que havia alguma coisa muito errada comigo. Sabe aquela sensação de que seu escritor é justo o cara que sempre está de mal com a vida? Sabe aquela impressão de que seu mundo não dá voltas e sim cambalhotas? Assim: de repente você se vê de cabeça para baixo, com as pernas pra cima, com o corpo em caracol e, quando se dá conta, plaft, deu um giro, mas continua no mesmo lugar. No exato ponto de partida. Ou seja, parada. Um verdadeiro mar Morto.

É difícil acreditar, mas a tal da justiça da compensação entre sortes e desgraças finalmente aconteceu comigo. Por que hoje meu mundo deu finalmente uma volta a meu favor!

Uma não, três!

Primeira: tive coragem de desafiar minha mãe e me saí bem.

Segunda: consegui deixar meu irmão com uma cara de completo imbecil.

Terceira: ainda não estou bem certa, mas acho que vou me apaixonar!

Eu sei, eu sei que foi muita coisa para uma noite só e por isso devo ir com calma no meu entusiasmo. Sabe aquele negócio de que quanto maior a altura, maior o tombo? Então.

No colégio eu aprendi que tudo o que acontece está submetido às leis da ação e da reação, da causa e da consequência. Mais uma razão para ficar preparada, pois o bumerangue pode voltar de alguma maneira para meu lado.

Esta noite tinha tudo para ser do tipo sexta-feira chuvosa, com direito a serial killer disfarçado batendo na porta, pedindo para usar o telefone porque o carro quebrou, e o resto da história você já conhece...

Traduzindo: era a esperada noite do jantar de "noivado" da minha mãe.

Isso quer dizer: família X vai conhecer família Y. Pequeno detalhe: os filhos dos noivos também vão se encontrar pela primeira vez antes de se tornarem a família XY. Outro detalhe: meus avós e a mãe do meu futuro padrasto também vão estar presentes.

Mais um detalhe importantíssimo: minha mãe estava praticamente surtada.

Melhor explicar. Eu não via a mais remota possibilidade de que ela retornasse à natureza humana até a hora em que os convidados chegassem, tão nervosa, agressiva e instável que ela estava.

Estressada ela sempre foi, sobretudo comigo, mas eu nunca a tinha visto num estado tão lamentável. Estava praticamente igual à mãe daquele livro de que eu tanto gostava quando criança, chamado *Minha mãe virou um monstro*.

Eu adorava a história do menininho que ia imaginando as transformações físicas da mãe em monstro a cada atitude dela que o desgostava ou o amedrontava. Os desenhos iam mostrando a mãe de jeitos diferentes: primeiro com corpo de monstro, depois com cabeça, depois com rosto, depois com rabo de monstro... um verdadeiro terror. Claro que eu ficava esperando pela revelação de que tudo era imaginação do menino, pois sua mãe continuava ao lado dele, com qualidades e defeitos, como qualquer pessoa.

Mas minha mãe não é qualquer pessoa. Minha mãe é minha mãe. E eu, como já estou acostumada aos seus transtornos de humor e às suas transformações inesperadas, logo percebi que o clima ficaria pesado assim que ela anunciou seu noivado naquela noite tsunâmica.

De lá para cá me esforcei ao máximo para ficar quase invisível. Tentei não a aborrecer com meus problemas, procurei me virar sozinha e evitei que ela perdesse seu tempo comigo por pequenas bobagens. Minha rotina, que já é do tipo previsível, ficou ainda mais monótona: da escola para casa, da casa para escola. Saídas só pelo bairro e para o curso de inglês. Em casa, o mínimo de convívio familiar possível para o mínimo possível de atritos, principalmente com meu irmão.

Se você quer saber se essa estratégia fez com que eu me saísse bem, eu diria: não. Foi um fracasso. E se você me perguntar se eu cheguei a alguma conclusão, eu diria: sim. É o seguinte: não adianta me esconder, pois quando eu apareço minha mãe se lembra de que eu existo, e minha presença parece incomodá-la muito mais do que minha ausência. Deu para entender?

Você deve achar que estou exagerando, que sou encanada e vivo fazendo drama, inventando coisas que não existem porque, no fundo, no fundo, sou uma garota problemática.

Bem, problemática é uma das três palavras preferidas da minha mãe quando ela quer pegar pesado comigo. As outras duas são um pouco mais fortes: neurótica ou desequilibrada. Não são só essas, mas agora isso não vem ao caso.

É duro admitir. É quase insuportável aceitar. Mas minha presença incomoda e muito minha mãe. Vou dar um exemplo. Apenas um. E se você já não acredita mais na fadinha do dente, poderá tirar suas próprias conclusões.

Foi assim:

Há duas semanas eu fui intimada a ir ao shopping com minha mãe. Motivo: comprar a roupa que ela queria que eu usasse no seu jantar de noivado.

— Uma roupa especial para uma situação especial, Beá. Eu já dei uma olhada e você não tem nada que preste no seu guarda-roupa. E eu quero vê-la bem bonita! — ela sentenciou.

Estou perdida, eu pensei. Roupa especial, para minha mãe, significa pernas de fora e salto alto. Tá legal que o noivado era dela, mas eu também não era um cabide para usar o que ela queria.

Como sempre, não demorou muito para começarmos a discutir.

Minha mãe sugeria umas roupas que, francamente, talvez ficassem bem em mim daqui a uns vinte anos ou mais. Então eu inventava uma desculpa e dizia que não tinha gostado da manga, da cor, do tecido.

Ela insistia para que eu pelo menos experimentasse. Eu tentava explicar que aquele tipo de roupa era para mulheres mais velhas, por isso nem precisaríamos perder nosso tempo provando e coisa e tal.

Aí minha mãe se irritava porque eu não pensava como ela e começava a falar, e a falar, e a falar. Que era impossível fazer compras comigo, que eu não colaborava em nada, que ela se esforçava para me deixar mais apresentável e eu nem considerava sua boa vontade, que não conseguia entender como uma menina que vai fazer 15 anos pode ser tão relaxada com a aparência e blá-blá-blá.

— É impressionante como você não tem mesmo noção do que lhe cai bem, Beá. Essas suas roupas largas não lhe favorecem em nada. Só acabam chamando mais a atenção para seus pontos fracos. Não me conformo como alguém pode ser assim tão desleixada, tão sem vaidade. Juro que não merecia uma filha assim! — ela dizia na frente de quem quisesse ouvir, ou seja, o shopping inteiro.

— Mas, mãe — eu tentava argumentar —, essas roupas não têm nada a ver comigo! Eu não consigo nem me imaginar dentro delas! Fico ridícula!

— Veja bem, Beá. Não é uma questão de gostar ou não gostar. É uma questão de estar ou não estar na moda. Ou você acha que as pessoas não ficam imaginando o que você esconde atrás desse monte de roupa?

— O que eu escondo? Como assim? Minhas roupas nem mostram meu corpo direito! — eu reclamei.

— Por isso mesmo. Esse seu estilo está mais para moradora de rua, dessas que usam todas as roupas que possuem ao mesmo tempo, faça calor ou faça frio — ela continuou.

Percebi que ela começava a engrossar. Não sabia se tinha dormido mal, ou brigado com o noivo, ou se estava de TPM. Só sentia que, naquele momento, estava descontando em cima de mim.

Resolvi ir com calma, explicar melhor os meus motivos. Não que tivesse muita esperança que ela concordasse comigo, mas, se ao menos ela conseguisse me compreender, já seria um bom avanço.

— Mãe, você sabe que eu não gosto de usar vestido, shorts ou saias curtas porque minhas pernas são muito magras. O problema não está na roupa, está no meu corpo.

— Por isso mesmo, se o corpo não ajuda, aí é que a roupa tem mais importância ainda! — ela rebateu.

— Mãe, dá um tempo! Será que é muito difícil pra você entender que eu me sinto muito mal quando preciso me expor demais? Eu não gosto de mostrar meu corpo. Tenho vergonha de ser magra! — apelei para sua compaixão, isso costumava dar certo com a maioria das mães das histórias dos livros.

— De novo com essa desculpa, Beá? As modelos também são muito magras e não se constrangem nem um pouco quando mostram o corpo, muito pelo contrário — ela afirmou.

— Mãe, eu não sou modelo. Olha bem pra mim e não delira, por favor. Eu tenho cara de modelo? — insisti.

— Se você seguisse os meus conselhos, podia melhorar e bastante. Há muitas meninas fazendo o maior sucesso nas passarelas sendo assim... exóticas, como você — ela acrescentou, depois de pensar um pouco.

— Você disse "assim exóticas", mas estava querendo dizer "mesmo não sendo bonitas", não é? — questionei.

Ela fingiu que não me ouviu e continuou com seu estilo trator, passando por cima, certa de que estava me valorizando.

— Você tem altura, Beá. E suas pernas nem são tão feias assim, só um pouco ossudas. Se você quer saber, seu colo chama muito mais a atenção do que elas, acredite. Sua postura precisa melhorar, você anda muito arqueada. Então seu busto, que já é pequeno, desaparece, e o que fica no lugar? Essa clavícula saltada...

Eu estava me esforçando para dialogar, mas estava ficando complicado. Em poucas palavras ela afirmou que minhas pernas, meu colo, minha postura e meus seios não prestavam. Mas não tinha acabado ainda.

— Eu já te comprei um daqueles sutiãs com enchimento, não comprei? Você usou? Claro que não. O engraçado é que na sua idade eu já era bem desenvolvida, usava número 44. Tenho dúvidas se você vai conseguir passar do quarenta.

Será que ela pensava que estava me dando uma força falando daquela maneira do meu corpo? Assim, como se eu fosse uma mercadoria com defeito, e estivesse à venda na semana de liquidação?

Mas, como eu já disse, e você também sabe, as coisas sempre podem piorar.

E pioraram.

De repente ela me puxou para dentro de uma loja de moda masculina e disse baixinho:

— Posso te pedir um favorzinho, querida? Você se incomoda de ficar me esperando aqui ou, se preferir, dar uma voltinha sem mim? É que eu acabo de ver uma amiga e queria dar um alozinho para ela. Mas sozinha. Tudo bem? Eu volto logo, tá, meu bem?

"Querida" e "meu bem" soaram falsos de doer. E aquele exagero de diminutivos? Eu não entendi nada, mas obedeci e fiquei parada na porta da loja.

Cheguei até a pensar se a amiga não era o amigo. Se fosse assim, daria até para entender sua necessidade de ir sozinha. Mas ela ia se casar, não devia ter um amigo secreto. Fiquei observando. Era uma amiga. E a amiga estava acompanhada por duas garotas que deviam ter mais ou menos minha idade.

E elas eram lindas. E tinham pernas lindas. E não precisavam de sutiãs com enchimento. E seus cabelos eram lisos e longos e soltos. Uma verdadeira propaganda de xampu. Também não usavam óculos. E uma estava de vestido e a outra de saia curta. Pude ver quando a amiga apresentou as meninas para minha mãe. E vi quando minha mãe as cumprimentou e deve ter dito alguma coisa que as fez sorrir, envaidecidas. E os sorrisos delas eram lindos, mesmo com aparelho.

Eu já estava cansada de ficar parada, como uma boba, na porta da mesma loja. Estava até pegando mal. Então resolvi sair e passar ao lado de onde minha mãe estava. E fui me aproximando dela bem devagar, na esperança de que ela me chamasse para me apresentar.

Claro que eu não fazia a mínima questão de ficar frente a frente com aquelas duas patricinhas, mas precisava descartar ou comprovar um pressentimento que já estava fazendo meu estômago se contrair: minha mãe estava tentando me esconder.

Ela me viu, eu sei, nossos olhares se cruzaram. Eu passei por ela, bem ao seu lado, pude até sentir seu perfume, mas prossegui. Minha mãe não me chamou.

Precisei sentar no primeiro banco que encontrei. Fiquei lá, parada, esperando minha respiração voltar ao normal. Tentando me controlar, pensando se eu não deveria ir embora e deixá-la bem preocupada, bem culpada com meu desaparecimento. Mas não consegui sair do lugar.

Do banco onde eu estava dava para ver meu reflexo no vidro espelhado da loja da frente. Aquela ali sou eu, pensei. E comecei a chorar. E não foi porque não tenha gostado do que vi, mas por ter descoberto que minha mãe tinha vergonha de mim.

Ela não demorou muito para aparecer. A vantagem de usar óculos, se é que existe alguma, é que as pessoas não reparam muito nos olhos que estão por trás das lentes. Sei que minha mãe percebeu que eu havia chorado. Mas por alguma razão achou melhor fingir que não tinha visto.

Sentou-se ao meu lado no banco, deu uma suspirada e perguntou, como se nada tivesse acontecido:

— Demorei muito? Olha só que coincidência, Beá. Eu estudei arquitetura com a Marina. Depois nunca mais nos vimos e acabamos nos reencontrando há menos de um mês. Ela está trabalhando na obra que eu vou decorar. Não parece incrível?

Eu não respondi. Ela continuou.

— Outro dia, ela me disse que tinha duas filhas, e uma delas é da sua idade. Não é incrível essa coincidência?

— Incrível — repeti, mecanicamente.

— Elas são tão lindas. Você não achou?

Fiquei muda de novo.

— Também, a Marina é uma mulher belíssima. Nós temos a mesma idade. Você acha que eu estou tão bem quanto ela? Será que ela já fez plástica?

Não era possível, ela não estava fazendo isso comigo. Não podia ser. Eu tinha ouvido mal. As filhas da amiga eram lindas. A amiga era belíssima. E agora ela queria saber se era tão bonita quanto a tal da Marina. E eu? E eu? Eu sou o quê?

— Beá, você está prestando atenção no que eu estou falando? — ela reclamou.

— Estou, mãe — consegui responder.

MUUA
50

— Não parece. Se ainda mostrasse algum interesse, fizesse alguma pergunta. Mas só sabe fazer essa cara de quem não está nem aí.

— Eu prestei atenção no que você disse, mãe. Sua amiga é linda, as filhas dela são lindas e você é a mais linda de todas.

— Por que você está falando assim comigo, Beá? Eu te fiz alguma coisa, por acaso? — ela perguntou.

Ou ela era muito cínica ou muito ingênua para achar que eu não tinha percebido o que ela fez. Então tomei coragem e perguntei.

— Posso saber por que você não quis me apresentar pra sua amiga?

Ela ficou surpresa. Até pensou antes de responder.

— Olha, Beá, você vai achar estranho, mas na verdade eu quis te poupar.

— Me poupar? Me poupar de quê?

— Ah, Beá, assim que percebi que a Marina estava acompanhada das filhas, achei que seria melhor eu ir cumprimentá-la sozinha. Assim você não precisaria se aborrecer. Eu sei como você é toda tímida e encucada. Ia acabar se sentindo desconfortável ao lado delas.

Me poupar. Tá. Ela quis me poupar. Agiu pelo meu bem. Que bela desculpa.

— Por que você achou que eu não ia me sentir confortável, mãe? — quis entender melhor o que ela acabava de dizer.

— Sei lá, eu apenas achei, oras. Por quê, filhinha, você ficou chateada? Queria ter me acompanhado?

Ai, que ódio! "Queria ter me acompanhado, filhinha?". Essa é boa. Minha mãe é uma atriz! Pensei se continuava com o teatrinho dela e deixava tudo por isso mesmo ou se chutava o pau da barraca, sem me importar que tudo desabasse em cima de mim. Respirei fundo e escolhi o chute.

— Se eu fiquei chateada? Ah, mãe, cê tá brincando? Você acha que eu não percebi o que você fez?

— O que você está querendo insinuar, Beá?

— Eu não estou insinuando nada. Eu tenho certeza, mãe. Você me escondeu porque achava que eu ia me sentir mal diante das filhas da sua amiga ou porque *você* ia se sentir muito mal se me apresentasse a elas? — perguntei.

— Beá, o que você está dizendo? Enlouqueceu? Eu sou sua mãe!

— Tá bom. Você é minha mãe. Mas me escondeu para me poupar ou pra se poupar, mãe? — Ela não esperava que eu fosse capaz de enxergar o óbvio. Nem que eu tivesse coragem de enfrentá-la daquela maneira.

— Não acredito no que estou ouvindo. Você está querendo dizer que fiquei com vergonha da minha própria filha? Quem você pensa que eu sou, Beá? — virou-se contra mim, toda agressiva.

Então eu vi que ela já estava com o rosto transformado, como o da mãe-monstro daquele meu livro.

Mas não me amedrontei.

— Eu penso que você não quis me apresentar. Porque, como já disse hoje, não merecia ter uma filha assim como eu. Falou ou não falou, mãe?

— Você está exagerando. E, pra variar, deturpa tudo o que eu digo. Eu não quis dizer nesse sentido que você entendeu...

— E dava pra entender de outra forma? — quis saber.

— Você leva tudo tão a sério, Beá... Vai ficar com rugas antes do tempo.

— Então não é pra levar a sério o que você fala, mãe? — desafiei.

— Às vezes a gente fala coisas sem pensar. Beá, pelo amor de Deus, não entenda tudo ao pé da letra!

— Sabe o que eu acho? Você me escondeu pra evitar os comentários de sua amiga sobre mim. Não queria que ela ficasse com pena de você. Que saísse falando tipo assim: "nossa, coitada da Denise. Não merecia uma filha tão...".

— Tão o quê, Beá? Você acha mesmo que eu me importo com o que os outros pensam ou deixam de pensar de mim ou da minha família?

— Tá, mãe, desculpa. Você ligar pra opinião dos outros? Que absurdo! — eu ironizei.

— Escute aqui, eu só quis protegê-la. Tive a melhor das intenções, mas, se você quer distorcer minha atitude, problema seu. Alguém ficou ferido? Alguém morreu? Se tem alguém que está sendo acusada injustamente aqui, sou eu! — Pra variar, ela se defendia me acusando, o que doía ainda mais.

Agora minha mãe já estava com a cara e o corpo da mãe-monstro do livro.

— Como assim "ninguém saiu ferido"? Como você acha que eu me senti ouvindo minha própria mãe pedir pra eu me esconder? Como você acha que eu fiquei quando passei do seu lado e fui totalmente ignorada, hein? De quem você estava me protegendo? Muito obrigada, mas eu dispenso totalmente esses seus cuidados maternais.

— Sabe o que eu acho, Beá? Que você está precisando de uma ajuda profissional. Um psicólogo, um psiquiatra, sei lá. Essa sua mania de perseguição está passando dos limites! Você está se tornando um perigo.

— Agora você está me chamando de louca, mãe?

— Estou dizendo que não sei mais o que fazer com essa sua obsessão. Essa sua mania de achar que todos estão sempre contra você, principalmente seu irmão e eu. Eu tento ajudar, dou conselhos, procuro encorajá-la a melhorar sua aparência. Mas você me ouve? Não, continua se cobrindo toda...

— Acabou, mãe? — eu perguntei, tentando evitar que a discussão começasse a ganhar plateia.

— Não acabei, só comecei. Por quê? Você falou o que quis e agora não quer ouvir? — Os olhos dela estavam irados.

— Por favor, mãe, a gente está em um lugar público. Vamos deixar pra conversar em casa? — pedi.

— O que eu tenho pra te dizer em casa eu posso dizer aqui. Estou cheia das suas exigências e das suas queixas, Beá. Você só reclama, só se faz de vítima do destino: "sou muito magra, sou ossuda, não tenho peito, meu cabelo é horrível...".

— Chega, mãe, por favor, chega... — eu implorei.

— Por que você acha que todo mundo tem de ter peninha de você, hein? Acha, por acaso, que algum rapaz vai se interessar por você no meio desses seus montes de trapos?

— Mãe, tá bom. Eu já entendi. Por favor, agora vamos embora? — tentei novamente.

— Não, você nunca entende, Beá. Você só entende de você mesma. Você se acha superior a todo mundo, só porque fica enterrada nos seus livros. Aliás, acho que ler demais está fazendo você perder a noção da realidade — ela afirmou.

Agora estava com a cara, a cabeça e o corpo da mãe-monstro. Faltava só o rabo.

— Agora acabou, não acabou? — eu perguntei, tentando segurar as lágrimas. Precisava aguentar. Não queria chorar de novo; só mais tarde, bem longe dela.

— Não, não acabei. Dói ouvir as verdades, não é? Sabe mais o que eu penso, Beá? Que você não tem amigos porque é invejosa. Essa história de que todo mundo te ridiculariza, te ofende, te exclui, é invenção da sua cabeça.

— Desculpa, é verdade. Deve ser tudo invenção, me esqueci que eu sou uma louca perigosa — concluí.

— Louca eu não sei se você está, mas desequilibrada e neurótica, sem dúvida nenhuma. E quem vai querer ser amigo de uma garota assim, problemática? Que acha que todo mundo está contra ela? Uma garota arrogante, que se sente superior e prefere se isolar no seu mundinho de papel?

— Mãe, por favor...

— E depois fica chorando porque ninguém quer saber de você. Mas a culpa é sempre dos outros, não é, Beá? Nunca é sua!

Ela não estava só chutando o pau da barraca, estava explodindo o shopping inteiro, sem se importar se daria tempo de a gente fugir.

Agora a mãe-monstro estava completa. Com rabo e tudo!

— Você acabou? — eu perguntei novamente, sem conseguir segurar as lágrimas. Não dava mais.

— Acabei. Acabei. E não me venha com esse choro de vítima, porque não vai me comover com essa sua ceninha dramática. Você foi longe demais. Me ofendeu. Eu é que devia estar chorando.

— Então por que não chora? — eu provoquei.

— Porque estou com raiva. Você conseguiu estragar minha tarde, meu humor e me deixou com dor de cabeça! Parabéns! — ela finalizou a discussão, o que queria dizer qualquer coisa como: não quero ouvir mais nada.

Eu também não tinha mais o que dizer. Nem o que perguntar. Só o que pensar.

Confirmei o que já suspeitava: minha mãe não gostava de mim. Não gostava de quem eu sou. Talvez ela até ame uma filha que existe lá na cabeça dela, ou em seus sonhos. Mas com certeza essa filha não sou eu.

Por mais que eu procure uma razão, não entendo o que posso ter feito de tão grave para que ela não consiga me amar e me aceitar. Quanto mais me dirigir uma palavra de carinho ou de estímulo, um pedido de desculpas, um agradecimento, um elogio, um "parabéns, filha"... sei lá, essas pequenas coisas que acontecem tão naturalmente entre mães e filhos que se amam.

Fomos mudas até o estacionamento do shopping. Continuamos caladas no carro. Ela manobrou apressada, derrubou um cone que estava próximo à saída. Depois quase atropelou a cancela, mas não fiz nenhum comentário.

O silêncio não pesou, nem me incomodou. Ao contrário. Poder ficar com meus pensamentos, apenas com meus pensamentos, me aliviava. Me libertava.

Então, para tentar me acalmar, procurei me lembrar de um monte de besteiras. Como aqueles testes de autoajuda bem sem noção das revistas teens, que ensinam o que as garotas podem fazer para se dar bem na vida e se conhecer melhor.

Algo mais ou menos assim:

Sua mãe dá provas o tempo todo de que não suporta você, mas se esforça para disfarçar. No dia das mães você:

a) compra um lindo cartão, e escreve "eu te amo, mãe! Desculpe por eu existir".

b) foge de casa no dia anterior e deixa um recado: "mãe, fique tranquila, nada de ruim poderá me acontecer longe de você".

c) dá para ela uma boneca de pano com instruções de uso: "antes de magoar sua filha, dê murros na boneca, respire, conte até dez, que passa".

d) escolhe um lindo presente, prepara um café da manhã especial e diz para sua mãe: "eu não vou desistir de você até que você me ame!".

Acho que sou uma pessoa *abcd*.

Tem horas que me sinto *a*, culpada por existir, por incomodá-la tanto, por não ser como ela gostaria que eu fosse. Às vezes sou *b*, achando que minha mãe me coloca tão para baixo que minha autoestima só teria a ganhar longe dela. Outras vezes sou *c*, principalmente quando reconheço nela certo gostinho incontrolável de me fazer sofrer.

E também sou uma pessoa *d*. Ela é a única mãe que eu tenho, não quero desistir da possibilidade de me sentir querida por ela. Nem que seja apenas uma vez na vida!

Posso afirmar que corremos risco de morte até chegarmos em casa.

Minha mãe realmente estava nervosa. Foi xingada por motoboys, passou um farol vermelho sem perceber e levou um tapa no capô do carro de um pedestre enfurecido por ela ter parado na faixa.

Tirando esses incidentes, o mais sério ficou por conta do tombo que ela tomou na nossa garagem, quando não viu a mangueira do jardim e enganchou o salto do sapato.

Claro que não ri, claro que a ajudei a se levantar, claro que peguei a caixa de primeiros socorros para fazer um curativo no seu joelho machucado. Mas meu coração estava uma pedra. Não senti peninha nem nada. Só não disse bem feito!

Cuidei dela e fui para o meu quarto, e só então, depois que tranquei a porta com chave e tudo, comecei a chorar e a chorar. Descontroladamente.

Como naquele dia, no banheiro da festa de 15 anos da Isabel.

Os sentimentos eram os mesmos: revolta, indignação, raiva, tudo misturado. Eu não conseguia entender por que as coisas eram como eram. Por que tudo sempre acontecia comigo? Por que eu não podia ser como todo mundo? Por que não nasci em outra família? Por que, caramba, não conseguia ser amada nem por minha própria mãe?

Estava me achando o último dos seres sobre a Terra, quando ouvi o toque de alguém me chamando no MSN.

Dei um pulo! A Renata!

A única pessoa que me via quando eu estava on-line era ela. E eu devia ter esquecido o computador ligado antes de sair. Só minha única e melhor amiga tinha acesso ao meu endereço. Isso porque eu precisei bloquear o antigo e criar um novo cadastro depois que uns imbecis do colégio começaram a zoar comigo. Zoar é pouco. Eles me detonaram depois da festa da Isabel. Eu é que acabei virando a grande vilã da história por ter trancado aquelas duas meiguinhas no banheiro e ter sumido com a chave. Só a Renata ficou do meu lado. Ela sempre levou jeito para Robin Hood. Acreditou em mim, me ajudou e me defendeu quanto foi possível. Mas tudo a distância, em Recife, e não adiantou muita coisa.

Renatadov diz:
oiee! vc tah aí?
Beabia diz:
oi amiga eu to. acho q to, sei lah se to
Renatadov diz:
Xiiiiiiiiiii jah vi que vc naum ta mto bem, neh?
Beabia diz:
q 9dade...
Renatadov diz:
q foi agora?
Beabia diz:
minha mae... acho q ela me odeia
Renatadov diz:
q aconteceu? vcs brigaram d novo?
Beabia diz:
naum quero falar dela agora, quero esquecer q ela existe
Renatadov diz:
pq vc naum cuida da sua vida e esquece sua mae?
Beabia diz:
eu bem q queria. mas ela naum me esquece
Renatadov diz:

fala pra ela cuidar do casamento dela, hehehe
Beabia diz:
já vi q esse casamento promete. vai acabar sobrando pra mim
Renatadov diz:
acho q pode ser legal. ela vai ficar no pe do marido e parar de pegar no seu
Beabia diz:
duvido mto
Renatadov diz:
qdo a gente mudou pra ca, minha mae ficou tao maluca q nem ficava atras de mim
Beabia diz:
sua mae eh bem legal, Re
Renatadov diz:
pq vc naum eh filha dela, hahaha
Beabia diz:
hoje ela queria me comprar um vestido de alcinha pro casorio... pode?
Renatadov diz:
hahaha... de alcinha, pra vc?
essa eu queria ver, hehehe, manda a foto
Beabia diz:
naum viu e nunca vai ver. ela surtou
Renatadov diz:
se vc morasse aqui, so ia ver vestido de alcinha na rua. e tb ia usar, aposto
Beabia diz:
serio? duvido
Renatadov diz:
gorda, magra, velha, nova, todo mundo usa pq aqui eh muito quente. nao da pra ficar com mta roupa. manga comprida nem pensar
Beabia diz:
eu ia me dar mal entao
Renatadov diz:
ou nao... vai ver acostumava. nem ligava mais pra essa besteira de ser magra d+

Beabia diz:
Hahaha. e vc parou de ligar pras suas pernas grossas?
Renatadov diz:
pegou pesado. eu aceitei, neh? fazer o q... eu sou assim.
sabe o q acho? vc precisa gostar mais de vc... cada 1 tem o corpo q tem e pronto... tem coisa q dah pra mudar, tem coisa q não dah...
Beabia diz:
acho que naum te contei. sabia q vou ter 1 irmao de 18 anos?
Renatadov diz:
vc tah louca? eu conheço o Andre faz tempo...
Beabia diz:
hahaha, eh outro irmaozinho, filho do marido da minha mae
Renatadov diz:
nao me diga... um irmao de 18 anos q naum eh seu irmao de verdade? uau!!!!!!!!!!!!!
vc jah viu se ele eh gatinho?
Beabia diz:
vou ver só no dia do noivado...
Renatadov diz:
to curiosa hehehe. e vcs vao morar na mesma casa?
Beabia diz:
vamos... e se o cara for um estrago ou um pentelho tipo Andre, vou ter q ficar olhando pra cara dele todo dia...
Renatadov diz:
vc sempre pessimista... pensa q ele pode ser lindo, fofo e gracinha e vcs vao se apaixonar...
Beabia diz:
ahaha... vc bebeu? tah sonhando? acordaaaaa
Renatadov diz:
pode ser o destino... sua mae casa com o pai e vc com o filho, hehehe
Beabia diz:
se ele for um cara legal jah tah bom... naum precisa mais
Renatadov diz:
preciso contar uma coisa... Bea
Beabia diz:

entao conta...
Renatadov diz:
eu conheci um carinha... acho q eu to me apaixonando
Beabia diz:
como assim, vc acha???????
Renatadov diz:
ah, sei lah, acho q sim. eu nunca fiquei desse jeito q eu to
Beabia diz:
E qdo foi? onde foi? quem eh ele?
Renatadov diz:
ele é da minha escola e tah no terceiro ano
Beabia diz:
terceiro?????
Renatadov diz:
no fds a gente se encontrou na praia e ele veio falar comigo
Beabia diz:
conta, conta. como foi?
Renatadov diz:
ah, ele perguntou se eu era nova na cidade e coisa assim. ele eh bem legal. diferente dos garotos do primeiro
Beabia diz:
diferente como, fala...
Renatadov diz:
ele escuta, ele mostra q tah interessado mesmo no q eu to falando
Beabia diz:
entendi. o cara naum ve soh uma ficada.
Renatadov diz:
eh isso. a gente conversa de verdade. eu contei ateh de vc!
Beabia diz:
ele eh bonito? tipo quem?
tem orkut? quero ver...
Renatadov diz:
antes q vc descubra pelo orkut... o Cacá eh negro
Beabia diz:
e daí?
Renatadov diz:

daí? sei lá, nada... so pra vc ficar sabendo
Beabia diz:
se ele fosse branco vc ia dizer q ele era branco?
Renatadov diz:
acho q naum... ai, amiga, vc naum perde uma... por isso q eu gosto de vc
Beabia diz:
conta mais, vcs jah ficaram?
Renatadov diz:
aham
Beabia diz:
hehehe
Renatadov diz:
acho q a gente meio q tah namorando
Beabia diz:
hehehe... ja vi q eu vou sobrar...
Renatadov diz:
nunca nunquinha eu vou deixar de falar com vc
Beabia diz:
quero ver...
Renatadov diz:
to preocupada com vc... sabia?
Beabia diz:
pq?
Renatadov diz:
vc anda mto tristinha... promete se cuidar?
vc precisa ser forte... naum ligar pro q os outros dizem... seguir soh sua cabeça
Beabia diz:
falar eh fácil... as vezes eu acho q se eu sumisse ninguem ia perceber...
Renatadov diz:
e eu naum sou ninguem? e seu novo irmaozinho? Hehehe, como eh o nome dele?
Beabia diz:
Chico... Re, vc eh minha única e melhor amiga... sabia?

Renatadov diz:
e vc eh minha melhor e única amiga, Bea, sabia?
Beabia diz:
sinto mta saudade de vc... mtaaaa...
Renatadov diz:
eu tb, Bea. eu to adorando mto aqui, a cidade... as pessoas sao bem legais... tem a praia, tem o mar...
Beabia diz:
agora tem o Cacá... hehe
Renatadov diz:
... o colégio eh legal... o Cacá eh um fofo... mas eu morro de saudade de vc
Beabia diz:
vc nem sabe como eu sinto sua falta, Re
Renatadov diz:
melhores amigas?
Beabia diz:
melhores amigas!

Acabei dormindo de roupa e luz acesa. Sem jantar. Com o computador ligado e a janela aberta.

Acordei no meio da madrugada sem entender onde eu estava, nem o que estava acontecendo. Sentia um pouco de frio, um pouco de fome. Então levantei, me troquei, me alimentei, me aqueci e coloquei o celular para despertar na hora de sempre.

Eu me cuidei, foi isso.

Aí, depois que apaguei a luzinha do abajur, antes de tentar dormir o pouquinho de horas de sono que restava, bem na hora de fechar os olhos, eu fiz um juramento para mim mesma. Ainda não sabia como, mas jurei que ia aprender a cuidar melhor de mim. Como eu tinha feito.

Fiquei acordada, sem pegar no sono, até o alarme do celular tocar. Claro que eu me levantei com a sensação de que estava na hora de ir para a cama novamente, de tão cansada...

Não prendi os cabelos num rabo de cavalo e não amarrei o moletom na cintura, como eu costumava fazer para disfarçar minha ausência de bunda.

Já era algum começo. Um lado meu levantou da cama diferente.

Será que é mais fácil reclamar da vida do que encontrar saídas?

»

Alguns dias depois daquela tarde divertida no shopping, eu cheguei do colégio e encontrei sobre minha cama quatro sacolas e um bilhete.

Papai Noel não era. Até porque ele não ia fazer uma sacanagem dessas comigo. O bilhete:

"Beá, quero que você se sinta maravilhosa num dia tão especial para mim. Me dê esse presente, pode ser? Beijos da sua mãe".

Resolvi abrir os presentes, na esperança de encontrar uma varinha de condão ou uma lâmpada do Aladim capazes de me fazer sentir maravilhosa.

Na primeira sacola encontrei uma sandália prateada de salto agulha, desses bem fininhos e bem altos.

Gelei.

Na segunda, tinha nada mais nada menos que um vestido. Bem larguinho, de alcinha, tecido leve, entre vermelho e vinho. Detalhe: devia bater bem acima dos joelhos. E isso quer dizer exposição de ossos.

Congelei.

Estava até meio trêmula quando comecei a abrir a terceira sacola: um sutiã sem alças e que já vinha praticamente com seios dentro, de tanto enchimento.

Despenquei.

Estava quase paralisada com o choque, mas fui em frente, abri a quarta sacola: maquiagem. Um batom meio cintilante, um blush, uma máscara de cílios e um lápis de olho.

Paralisia total.

Quem era a noiva, afinal, minha mãe ou eu?

Mas eu sou uma boa filha. Pelo menos tento ser. Então pensei: "não diga não antes de experimentar". E foi o que fiz.

Primeiro tranquei a porta. Depois me despi. Em seguida coloquei o vestido. Como eu não estou acostumada a usar sutiã, claro que me esqueci dele. Tirei o vestido. Coloquei o sutiã. Recoloquei o vestido. Errei. O zíper tinha de ficar para trás. Tirei novamente. Vesti do lado certo. Precisei me sentar para colocar a sandália.

O que era aquilo? Aparelho de tortura medieval? Como é que as mulheres conseguiam se equilibrar e andar em cima daquilo?

Quase me apoiando nos móveis para não cair, consegui chegar na frente do espelho. Ali estava refletida a figura mais tosca que eu já vi em toda minha vida. E essa figura era eu. Ou melhor, não era eu.

Não porque o vestido fosse feio, ou porque minha magreza se tornava mais evidente, ou porque o salto me deixava ainda mais alta. O rosto era meu, mas parecia que o corpo tinha sido colado no meu pescoço. Sem nenhuma participação do doutor Frankenstein, eu tinha me transformado em uma "criatura" muito assustadora: uma mistura do que eu sou com o que minha mãe quer que eu seja.

Senti uma mistura de pena e raiva de mim. Vontade de chorar e de reagir. Tudo ao mesmo tempo.

Minha mãe ia se casar, meu irmão ia se mudar, e eu, o que queria fazer da minha vida?

Enquanto tirava as sandálias de salto, tentei pensar na resposta. Eu ia fazer 15 anos e ia para o ensino médio no ano que vem e...

Olhei de novo para o espelho. Sem as sandálias, minha "criatura" ficava um pouco menos patética. Mas continuava com o olhar bem apavorado.

Eu ia para o ensino médio, tá bom, mas e daí? Alguma coisa ia mudar de verdade ou eu continuaria hibernando no meu quarto, enquanto a vida corria e acontecia do lado de fora? Será que não estava na hora de parar de investir em amigos virtuais e tentar conquistar gente de verdade?

Tá, eu sou uma total isolada. Eu não gosto de reconhecer, mas sei que é uma maneira de impedir que as pessoas se aproximem e me magoem.

Eu também gosto de dizer que sou tímida, mas talvez seja só uma covarde que morre de medo de se arriscar e de levar nãos na cara. Só que, de tanto ficar me protegendo, acabo também com a chance de ouvir algum sim.

Quando terminei de tirar aquele vestido de tirinhas cor de vinho, olhei meu corpo sem roupa. Só de calcinha e sutiã, e pensei: "é, eu tenho pernas e braços magros. Tenho também um quadril pequeno e sem curvas. Mas meu corpo é esse, não tenho outro. Se eu não gostar dele, por que alguém teria motivos para gostar? E quer saber?", concluí, "eu também sou um monte de outras coisas além do corpo ossudo e comprido, do nariz grande, dos óculos, do cabelo rebelde, do aparelho nos dentes, dos seios pequenos".

Sou uma pessoa do bem? Sim.

Tenho senso de humor? Sim e não. Depende da situação. Se for para detonar comigo, muito. Para levar a vida na boa, pouco.

Sou sensível? Sim, muito, me magoo com facilidade.

Sou sincera? Com os outros, sempre, comigo não sei.

Sou inteligente? Penso que sim. Será?

Sou amiga e solidária? Sim, mas quase ninguém sabe disso.

Sei ver o lado bom das pessoas? Depende, dos outros sim, de mim mesma, não.

Sei dizer do que gosto e do que não gosto? Sei. Só que às vezes não falo em voz alta.

Sou romântica? Muito, mas ainda não tive chances de mostrar meu romantismo para ninguém. Até agora só tive paixões platônicas. Por um ator de cinema, por dois colegas de classe, por um professor e pelo cara que trabalha na locadora. Claro que nenhum deles ficou sabendo. Mas eu fui muito romântica enquanto gastava meus pensamentos obsessivamente com cada um deles.

Sou vaidosa? Sim, do meu jeito, no meu estilo. Mas acho que não tenho muitos fãs.

Sou otimista? Não, claro que não!

Sou boa aluna? Sim, foi a única maneira que encontrei para me fazer respeitada na minha classe.

Consigo controlar minha agressividade? Depende do tipo de agressão que sofro.

Respeito a opinião dos outros? Sim, sempre, desde que não desrespeitem a minha.

Sei ser uma boa ouvinte? Sim, mas pouca gente sabe disso.

Sei tomar decisões e arcar com as consequências? Ãhhh? Não sei se sei. Mas quero aprender.

Vou conseguir usar este vestido e estas sandálias ridículas no jantar de noivado? Nunca, jamais, em tempo algum.

»

Foi um evento e tanto aquele jantar. Pelo menos para mim.

Esperado e inesperado. Previsível e surpreendente. Dramático e cômico.

Não precisava ser nenhuma vidente para prever que o André não ia animar a festa. Se não atrapalhasse, minha mãe já estaria no lucro. Ela sabia disso, e foi com muita cautela e delicadeza que recomendou inúmeras vezes ao meu irmão que colaborasse com ela, tratasse bem os convidados e se esforçasse em ser um pouco simpático.

Entenda-se por convidados: o noivo, o filho do noivo e a mãe do noivo.

Já para mim não houve recomendação. Ela simplesmente me abordou duas horas antes da reunião começar e disse:

— Não carregue muito na maquiagem para não ficar parecendo a Emília do Sítio do Picapau Amarelo, está bem?

Claro que não estava bem. Estava péssimo e tudo indicava que ia ficar pior ainda! Minha esperança era que na presença do Marcelo e da família dele minha mãe conseguisse relaxar um pouco e me esquecer. Ela parecia outra pessoa quando estava com o noivo: calma, sensata, razoável, amável, delicada. A mãe com que eu sempre sonhei.

Meus avós foram os primeiros a chegar, como sempre. Estavam muito felizes com o noivado da filha e curiosos para conhecer o futuro genro. Eu os cumprimentei e pedi licença para ir me arrumar. Minha mãe comentou:

— Beá vai ser a surpresa da noite! — e piscou para mim. — Não é, querida?

Eu concordei com ela.

Do meu quarto pude ouvir quando a campainha tocou anunciando a chegada do meu futuro padrasto e sua família. Um pouco depois escutei a porta do quarto do meu irmão se abrindo e seus galopes descendo as escadas.

Você já sentiu seu coração disparando, quase saindo pela boca?

O meu estava assim antes que eu tomasse coragem para enfrentar a situação e me apresentar. Os convidados até que não me apavoravam; o que me fazia estremecer era imaginar qual seria a reação da minha mãe assim que me visse.

Olhei no espelho mais uma vez e me reconheci.

Era eu.

Mais produzida, mas era eu. Gostei do que vi e do brilho que captei no meu olhar.

Estava com o vestido que minha mãe queria. E com o tal sutiã.

Mas... bem, coloquei-os com uma calça jeans e uma camiseta preta por baixo. No pescoço um cachecol listrado, para dar um colorido. Nos pés, um all star xadrez, que eu adoro. Nada de sandália de salto.

Mas a surpresa não terminava aí.

Coloquei uma tiara nos cabelos soltos e deixei-os cacheados e bem armados, como eles são. Não usei toda a maquiagem, só um pouco de blush nas bochechas e um gloss nos lábios. Gostei do efeito. Gostei mais do meu rosto. Mas ainda estava faltando uma coisa.

Para finalizar, troquei meus óculos.

Guardei a armação discreta, clarinha, e resgatei do fundo da gaveta uma mais moderna, vermelha, que eu adorava de paixão e não usava porque minha mãe a odiava "porque chamava muito a atenção para o meu rosto, além de não combinar com a cor dos meus olhos".

Assim que cheguei à sala, meus avós disseram, animados:

— Vejam só, chegou quem faltava!

Todos os olhares se viraram para mim.

Todos. Inclusive o do cara mais bonito que eu já vi na minha vida inteira!

O que um gato como aquele estava fazendo ali sentado, fora de um filme, de uma propaganda ou de uma revista? Será que eu tinha entrado na sala certa? Ou ele na errada?

Nem tive tempo de pensar duas vezes. Minha mãe me pegou pelo braço, nada delicadamente, e me levou até onde estava uma senhora de cabelos azulados. Se aquilo não era um tom de azul, eu era o coelhinho da Páscoa.

Nos poucos passos que demos lado a lado, ela conseguiu disfarçar e dizer entre dentes:

— Precisamos conversar...

Em seguida, virou-se para a mãe do Marcelo e me apresentou:

— Dona Margarida, esta é minha filha, Maria Beatriz. Nós a chamamos de Beá.

— Prazer, dona Margarida — eu falei, cumprimentando-a.

— Que moça engraçadinha! — ela comentou, sorridente.

Engraçadinha e simpática costumam ser os elogios que recebo quando não sabem o que dizer para me agradar.

Depois foi a vez da minha mãe me levar até o Marcelo, que naturalmente eu já conhecia. E foi o Marcelo quem me apresentou para seu filho, Chico, que estava sentado ao seu lado.

Quase caí para trás.

O filho do Marcelo era O cara.

Meu irmão, que não é nada feio, perto dele ficava parecendo o Dunga, aquele anãozinho mudo da Branca de Neve.

Quando Chico se levantou para me cumprimentar, o que quer dizer me dar um beijo no rosto, vi que era mais alto do que eu.

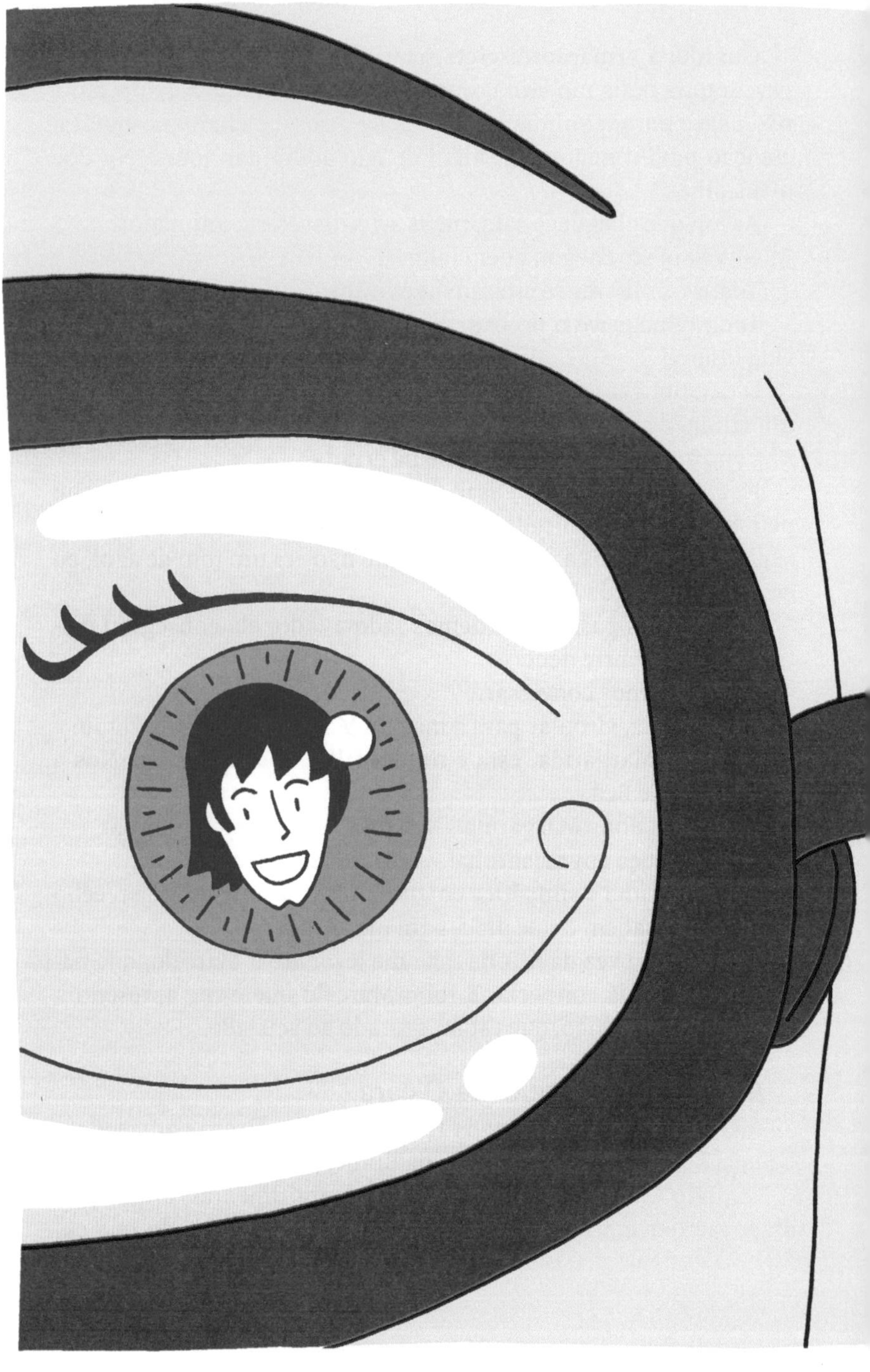

E cheiroso. E seus cabelos eram cuidadosamente despenteados. E, enquanto o André amargava uma camisa com colarinho e uma calça social que minha mãe também comprou para ele, o Chico arrasava todo de preto: calça, camiseta e tênis.

E aqueles olhos? E aquela boca? E o nariz? Nada precisava ser repensado. Nada podia ficar melhor. Tudo era perfeito! Ele era perfeito!

Eu não sabia onde sentar.

Olhei para os lados e o único lugar vazio era ao lado do meu irmão. Ele era a última pessoa do mundo com quem eu queria conversar. Mas não foi preciso me preocupar com isso. Minha mãe resolveu meu problema ao me chamar, com a desculpa de ajudá-la a trazer alguma coisa da cozinha.

Saímos da sala.

Sabia que tinha chegado a hora de eu ser metralhada:

— Que palhaçada é essa, Beá? Você está maluca? Quer me matar de vergonha? Suba já e só desça depois que estiver vestida decentemente — ela ordenou.

— Eu estou vestida decentemente, mãe. Estou me sentindo bem e não pretendo me trocar — falei com firmeza.

— Você está ridícula! Até esses holofotes vermelhos você desenterrou!

— Desculpe se nossos estilos não combinam. Mas eu não concordo com você, sempre gostei destes óculos. E, veja só, estou usando o vestido que você me deu, só pra te agradar, mãe — justifiquei.

— Você não está usando um vestido, está usando um avental, uma túnica, sei lá o quê! E esse tênis? Onde estão as sandálias que eu comprei pra você?

— O Chico também está de tênis, você reparou?

— É diferente. Ele é homem. E não é meu filho. Agora, suba. Preciso voltar para a sala. Por favor, não me envergonhe mais — ela repetiu.

— Mãe, se eu subir, eu não desço mais. É isso que você quer? — avisei.

— Você está querendo me desafiar, é?

— Não, mãe. Só queria que você percebesse que eu não sou uma menininha que precisa da mãe para escolher sua roupa de festa.

— Beá, é meu noivado! Eu tenho o direito de querer que meus filhos estejam vestidos do jeito que eu acho mais adequado.

— Mãe, você disse tudo. É seu noivado. Você tem direito de escolher o noivo. Tem direito de escolher sua roupa. E as comidas e as bebidas. Ah, e os convidados também. Mas minha roupa, quem tem direito de escolher sou eu.

Ela me olhava espantadíssima.

— Quer saber de uma coisa, eu desisto. Faça o que quiser da sua vida. Não quero mais perder meu tempo com você, Beá. Não vale a pena.

E saiu pisando firme em cima daqueles saltos altíssimos. Ela sempre precisava ter o gostinho de dar a última palavra. Mas a vitória tinha sido minha.

Fui até a cozinha e tomei um copo de água com açúcar para me acalmar, antes de voltar para a sala.

Desta vez minha entrada não gerou qualquer comentário.

O único que reparou na minha chegada foi o Chico, que me deu um leve sorriso. Ele estava sozinho no sofá. Marcelo tinha se levantado e conversava com minha mãe e meus avós. Meu irmão continuava no mesmo lugar: o único movimento que provava que ele estava vivo e não embalsamado era o de se inclinar até a mesinha onde estavam os salgadinhos.

Peguei um pouco de refrigerante. Teria de escolher. Ou me sentava no sofá, ao lado do Chico, ou na cadeira em frente ao meu irmão.

A decisão não foi difícil, por outro lado era a mais ameaçadora.

Para me tranquilizar, pensei: você tem sempre a opção de permanecer calada, ou falar sobre o clima. Péssimas alternativas, eu sei, mas não podiam ser descartadas.

Depois disse para mim mesma: coragem. Corra o risco. O que pode acontecer de pior? Ele te ignorar? Na pior das hipóteses, já será melhor do que sentar ao lado do André.

Dei um sorrisinho quando estava me aproximando do sofá. Chico afastou as pernas para me dar licença. Educado o rapaz. Meu irmão teria colocado o pé para que eu tropeçasse.

Eu nem precisei quebrar a cabeça pensando em alguma coisa para iniciar a conversa. Quem quebrou o silêncio foi o próprio Chico:

— Gostei da sua roupa, Beá. Você tem um estilo bem divertido.

O que ele queria dizer com "estilo divertido"?

Achei que o cara estava gozando da minha cara. Só podia ser. Numa hora dessas, o que a gente deve fazer? Eu não sabia se agradecia ou se perguntava se ele estava me zoando. Só sabia que tinha de responder logo, para não causar a impressão de que, além de "divertida", eu era surda.

Então refleti: se você bater, pode acabar apanhando. Vá com calma. Muita calma, Beá.

— Você está me elogiando ou foi um jeito diferente de dizer que eu devo subir e trocar de roupa? — perguntei.

Ele riu. E ficava ainda mais lindo. Eu nunca, nunca tinha ficado tão perto de um cara como ele. Se alguém tirasse uma foto nossa, eu mandaria fazer um pôster!

— Não, eu gostei mesmo. Diferente daquele estilo vestidinho e salto alto que as meninas costumam usar nas festas. E seus óculos também são muito legais, até eu usaria, se precisasse. Você parece muito autêntica. É isso.

Eu, autêntica? Precisei me segurar para não dar um pulo de alegria ou um beijo de agradecimento. Estava ficando difícil disfarçar meu contentamento.

— Então, por favor, puxa minha mãe num canto e fala pra ela que eu não estou parecendo uma palhaça!

— Ela te chamou de palhaça? Uau! — ele pareceu se espantar. — Então foi por isso que vocês saíram da sala e ela voltou toda alterada.

Era observador o garoto.

— Ela também falou outras coisinhas, mas deixa pra lá. Nem ligo mais — comentei, tentando amenizar um pouco a situação. Afinal, o pai dele ia se casar com a minha mãe, e eu não queria criar mais problemas para mim.

— Duvido. Eu ia ficar arrasado se meu pai vivesse me detonando — ele confessou.

— A gente se acostuma — eu disse —, o que não quer dizer que eu goste, né?

— Lá em casa eu sofria o problema inverso. Tanto minha mãe quanto meu pai queriam que eu acreditasse que eu era inteligente, legal, bonito, talentoso, bom filho etc. e tal. E quando descobri que eu não era tudo aquilo que eles diziam? Foi bem complicado.

Mas é claro que ele era a perfeição em pessoa. Seus pais estavam absolutamente certos.

— Será que sua mãe acha que eu, assim, todo de preto, estou parecendo, deixa ver, um emo-gótico-dark-macabro? — ele brincou.

— Não se preocupe, ela só gosta de implicar comigo — respondi.

— Espero que ela não se torne uma madrasta má quando for morar lá em casa.

— Fica tranquilo que ela é bem boazinha com todo mundo. Madrasta ela só é comigo — expliquei, tentando rir.

— Família é uma coisa meio complicada. A gente não pode escolher quem serão nossos pais. E vice-versa, é lógico. Se bem que, no meu caso, se eu tivesse de escolher, gostaria de ter a mesma mãe e o mesmo pai.

— Você deve estar com um pé atrás com esse casamento, né?

— Mais ou menos. É que eu estava acostumado a viver só com meu pai. Sou filho único, sabe como é — ele se justificou.

— Infelizmente eu não sei — disse, rindo, e apontei com a cabeça para o meu irmão. — Bem que eu gostaria.

— Isso você nunca vai saber. E agora a gente também vai ter de encarar essa nova família. Eles se conhecem, se apaixonam e resolvem se casar. E a gente vai junto, dentro do pacote.

— Famílias estranhas às vezes podem dar certo. Você assistiu a um filme chamado *Pequena Miss Sunshine*? Se bem que a gente está mais pro *A família Adams...* — brinquei.

— Você viu *Pequena Miss Sunshine?* — o Chico perguntou, surpreso.

— Vi e adorei. É sempre bom saber que existem famílias mais complicadas que a minha. Ah, e tem também o *O casamento de Rachel*. Nossa, esse também é demais! Você já viu?

— Já. E gostei muito. Reparou na câmera? Não para um minuto, acompanha cada personagem, fazendo a gente ficar cada vez mais íntimo deles.

— Olha, não sei reparar nessas coisas. Só na história mesmo. É uma barra o que acontece com aquela família, né? Todos carregam pedras bem pesadas. Fiquei com esse filme muito tempo na minha cabeça. Queria um pai daqueles pra mim. Bem, mas a garota da história tinha e nem por isso deixou de pirar. E aquela mãe... nossa, algumas vezes ela me lembrava um pouco a minha.

— Por quê? — ele quis saber.

— Deixa pra lá. Não é hora de falar dessas coisas.

— Quer saber de uma coisa? Acho que vou gostar muito de ter uma irmãzinha.

— Obrigada. Mas irmãzinhas podem ser bem perigosas. Elas entram no seu quarto sem ser convidadas, mexem nas suas coisas pra descobrir seus segredos, invadem seu computador e adoram ouvir conversas atrás das portas — ironizei.

— Você é bem sarcástica, né? É com todo mundo ou só com você mesma?

— Deve ser porque eu fui chamada de esqueleto e de caveira a vida inteira. Acabei desenvolvendo meu lado humor negro.

— Tem humor e gosta de cinema. Legal! Temos algumas coisas em comum! — Ele abriu o maior sorriso.

Eu devia estar sonhando. Nunca tinha conseguido trocar mais do que duas frases com um garoto. E fazê-lo rir, então? Quando é que eu pensaria que alguém encontraria humor no que eu falava?

Até agora eu estava habituada a ser o motivo das piadas. Mesmo quando ficava na minha, sem abrir a boca. Um dia um colega da escola, que dividia a mesa do laboratório comigo, me perguntou, baixinho, para a professora não escutar:

— Sabe que seus olhos me lembram o mar?

Eu quase morri de emoção, claro. Ele tinha reparado na cor dos meus olhos! Foi tão inesperado e, como eu não sabia o que falar, respondi com outra pergunta, meio óbvia.

— Lembram o mar porque meus olhos são verdes?

O cara olhou para mim e riu, enquanto acabava comigo:

— Não, Beá, é porque eles me dão enjoo, mesmo.

Estava começando a gostar dessa história de casamento. E do Chico, cada vez mais.

— Seu irmão é sempre essa gracinha ou quer que os convidados morram de medo da cara feia que ele faz? — perguntou, olhando para o André.

— O André é um cara legal com todo mundo que ele gosta. Quando não se importa com uma pessoa, ele meio que ignora. E quando ele não gosta, simplesmente massacra.

— Interessante — ele comentou. — E você está em qual categoria?

— Eu sou do tipo ignora ou massacra, dependendo de como foi o dia dele — expliquei.

Na hora em que André ouviu seu nome, lançou um olhar fulminante em minha direção. O Chico também viu e comentou:

— Uau! Queria estar agora com minha câmera para dar um close nesse **olhar de matador**. Eu não te falei, mas vá se acostumando a ser filmada quando for morar lá em casa. Eu não vivo sem minha câmera...

Foi falar o nome do diabo para ele levantar e vir em nossa direção. Boa coisa sabia que não podia ser. Não do André e sua sensibilidade de britadeira. Ele parou em frente ao sofá e sorriu:

— E aí, Espiga, conhecendo seu novo irmãozinho?

— É, a gente tá conversando. Não quer se sentar aqui também? — O Chico se antecipou à minha resposta, todo simpático.

— Até pode ser. Aí eu apresento melhor minha irmãzinha e você já vai tendo uma ideia do que vai sobrar pra você com esse casamento.

Eu fiquei desesperada. O Chico fez uma cara de quem não estava entendendo nada. Minha vontade foi de levantar e desaparecer. Mas, se fugisse, não ia ter como saber o que André falaria de mim. E nem possibilidade de me defender.

— Olha, ela é meio problemática, viu? — o André continuou. — Toda encucada com o corpo. Até dá pra entender, desde pequena ela tem esse jeito de espiga de milho. Também faz o gênero coitadinha e perseguida, por isso vive trancada dentro do quarto. E sabe o que ela fica fazendo? Lendo, cara, lendo! Ah, e gosta também de ser a dona da verdade. É jogo duro aturar essa menina. Ainda bem que eu caí fora...

Eu queria matar o André. Como ele podia ser tão canalha comigo?

"Não vou revidar, não vou chorar, não vou revidar, não vou chorar...", fiquei repetindo, tentando me fortalecer.

De novo o Chico tentou me salvar.

— Legal, André. Agora que você me apresentou todas as qualidades da Beá, que tal me falar dos pontos fracos?

André fez aquela cara de "não entendi" e ficou quieto.

Eu continuava repetindo para mim mesma: "não vou revidar, não vou chorar, não vou revidar, não vou chorar...".

O Chico também ficou esperando. Estava amando aquele meu novo "irmãozinho".

Foi então que a expressão do meu irmão se iluminou e ele disse:

— Pontos fracos? Você é cego, cara? Olha esse cabelo, essa napa que ela tem no meio do rosto. Sem falar no corpo. Nem parece mulher. É uma tábua, não tá vendo? Ela é tão magra, tão magra, cara, que precisa se cobrir inteira pra não assustar as criancinhas na rua...

Aí eu não aguentei. Ele não tinha o direito de ficar me humilhando sem que eu tivesse feito nada além de ter nascido irmã dele.

Então prometi pra mim mesma que não ia chorar e ignorei o "não vou revidar".

— Eu tenho mesmo um monte de pontos fracos, André. Mas quero te dizer uma coisa: meu caso é menos grave que o seu, sabe por quê? Porque eu posso fazer uma plástica para reduzir o nariz e outra pra colocar silicone e ficar com aqueles peitões que você acha bonitos. Também, se eu quiser, posso alisar os cabelos ou cortá-los ou até usar uma peruca. Posso usar lentes de contato e me livrar dos óculos. O que mais? Ah, engordar. Bom, posso fazer um regime de engorda, sei lá. Mas você, André, você é ignorante, é grosso, é insensível. Você nem conseguiu perceber que o Chico estava sendo irônico. E pros seus pontos fracos não existe tratamento, nem remédio, nem cirurgia. Você vai morrer assim.

Yes!!! Tinha conseguido deixar o André vermelho. Sem iniciativa para rebater minhas palavras.

Ele deu meia-volta e saiu da sala. Arrasado. Envergonhado. Yes!!! Yes!!!

Mas toda vitória tem seu preço. E foi só ele virar as costas para eu começar a tremer e sentir meu estômago se contraindo naquela náusea que conheço bem.

"Controle. Controle. Controle", eu repetia, sem conseguir me acalmar.

Não podia dar vexame na frente do Chico.

— Puxa, eu não queria estar na sua pele, Beá — Chico comentou, ainda com a expressão chocada. — Esse seu irmão é meio perturbado. Que prazer ele sente em destruir a própria irmã na frente de um estranho?

— Desculpa, mas não estou muito bem — confessei, envergonhada.

— O que você tá sentindo? Posso te ajudar em alguma coisa? — ele se prontificou.

— Estou enjoada. Às vezes isso acontece comigo, quando fico um pouco nervosa. Mas passa logo. Só preciso controlar a respiração e ir me acalmando. Desculpa, tá? — expliquei, meio sem jeito.

Tudo, tudo o que eu não queria era dar vexame na frente do Chico.

— Que é isso, Beá. Olha, até eu fiquei nervoso. Você teve muita coragem pra enfrentar esse babaca; desculpa, ele é seu irmão, mas é um babaca. Ainda bem que não vou dividir a mesma casa com ele.

— Pensando bem, eu também! — falei, tentando relaxar.

Foi a primeira vez que assumi que viver longe do André podia ser bom para mim. Eu é que não queria reconhecer.

Eu cresci com ele ao meu lado. E ele não era esse cretino desde pequeno. Até meu apelido foi ele quem deu. Ele não me chamava de Bia, como minha mãe queria. Me chamava de Beá. E ficou Beá. A gente se divertiu bastante quando éramos crianças. E também passamos por momentos bem ruins. Por ser mais velho, ele me protegia e cuidava de mim.

Na época em que nossos pais ainda viviam juntos, o André sempre se preocupava em me distrair quando eles começavam a brigar, e isso acontecia quase todos os dias. Ele via como eu ficava assustada e insegura, por isso me levava para algum lugar da casa mais afastado. Ficava falando comigo, ligava a tevê, fazia qualquer coisa que desviasse a minha atenção da discussão. Lembro de ter perguntado um dia para o André:

— Por que o papai briga tanto com a mamãe? Ele não gosta dela?

Ele respondeu:

— A gente também não briga, Beá? E depois não faz as pazes? Então, com eles acontece isso também.

Mas não foi isso que aconteceu. Quando meus pais se separaram, o André ficou muito abalado. Algumas noites, apesar de eu ser mais nova, era ele que vinha até minha cama e perguntava se podia ficar um pouco comigo, porque não conseguia dormir. Eu fazia carinho no cabelo dele, até pegarmos no sono. Às vezes ele chorava baixinho e eu fingia que não estava ouvindo, para ele não ficar com vergonha. André achava que meninos não podiam chorar perto das meninas.

Até ele fazer uns 13, 14 anos, éramos bastante unidos. Depois, o mundo deve ter dado algumas voltas do meu lado, outras voltas do lado dele e, de repente, meu irmão André tinha desaparecido e no lugar dele vivia agora essa criatura, um tipo de Andrenossauro rex.

— Melhorou? Você está meio pálida. Tudo bem mesmo? — Chico insistia.

— Tudo.

— Beá, você não quer que eu te acompanhe até seu quarto? Aí você se deita e descansa um pouco — ele propôs.

— Meu quarto? Como assim, meu quarto? Você tá louco? — eu falei, surpresa.

Ele deve ter percebido que o convite tinha me assustado, e assustou mesmo.

O que ele queria fazer no meu quarto? E comigo na cama?

— Opa, tudo bem, desculpa — tentou consertar, meio encabulado. — Seu quarto foi o primeiro lugar que me veio à cabeça. Mas posso ir com você até a cozinha, até a rua, sei lá. Era só pra sair daqui, respirar outro ar.

— É, pode ser legal — respondi.

— Até eu estou precisando dar uma arejada, depois de tudo ao que eu assisti — Chico completou. — Que cena. Pura tragédia shakespeariana. Não disse que devia ter trazido minha câmera?

— E se a gente fosse um pouco lá fora? Tem um jardinzinho. Só espero que o André não esteja por lá também.

Então o Chico foi até onde minha mãe estava e comunicou:

— Denise, a Beá não está se sentindo muito bem e nós vamos ficar um pouquinho lá fora, tá?

— Está bem — minha mãe respondeu —, mas não mime muito a Beá, pra ela não ficar mal acostumada.

— Se ela ficar mimadinha, tudo bem. Eu nunca tive uma irmã mais nova pra tomar conta, acho que vai ser divertido — o Chico respondeu, para espanto dela.

Ele era completa e definitivamente apaixonante.

Claro que minha mãe precisou dar a última palavra. Então pediu que voltássemos no máximo em vinte minutos, pois o jantar seria servido pontualmente às 21h30.

Estava provado. O mundo pode dar mesmo muitas voltas.

E também comprovei que em vinte minutos muita coisa pode acontecer.

Por exemplo, em vinte minutos você pode:

a) conseguir se acalmar, sentada na escadinha do jardim da sua casa, que sempre esteve ali, mas que você nunca reparou.

b) descobrir como há pessoas muito cretinas e outras muito legais dando voltas ao nosso redor, mas que depende da gente conseguir fazer a escolha certa.

c) falar com uma pessoa que acabou de conhecer mais do que falou uma vida inteira com quem vive há anos com você.

d) se dar conta de que você pode ser uma pessoa diferente e melhor.

e) acreditar que as coisas também podem melhorar na vida da gente, de uma hora para outra.

Capítulo 6

Ação!

Chico

Eu já disse que a vida é um grande filme? Não disse, não?

Primeiro flashback: a mudança
Tempo cronológico: cinco meses atrás

Sequência 1: a família

Câmera em plano geral: sala do apartamento do Marcelo. Dia da mudança. Caixas por todos os lados, móveis entulhados, vaivém de gente.

Locução em off: Chico

Esse aí sou eu. Estou ao lado do meu pai, assistindo a nossa casa se transformar. Está perdendo a cara que tinha e ganhando outra. Aquela é a Denise, a esposa, decoradora e nova dona da casa, dando uma de general. E lá está a Beá, bem na dela, concentrada em separar e levar suas coisas para o novo quarto. Que fica ao lado do meu.

Corte.

Sequência 2: os porta-retratos

Câmera em ângulo plano: parede da sala de estar. Pequeno móvel em que estão expostas várias fotos da família do Chico.

Câmera vai caminhando da direita para a esquerda, com zoom em cada fotografia.

Locução em off: Chico

Esta foto é do casamento dos meus pais. Ele tinha mais cabelo e ela, olhos mais brilhantes. Nesta, minha mãe está linda, grávida de mim, era seu aniversário. Quando eu era bem pequeno, ela me mostrava essa foto e dizia que aquela barrigona foi seu presente de aniversário. Este aqui sou eu, nenê, no colo do meu pai; alguns pais fazem essa cara de bobo quando seguram uma pessoa tão pequena. Aqui a gente está na praia, era final de ano, eu tinha 11 anos e usava essa bermuda ridícula. E nesta somos nós três num barco em Parati; foi a última viagem que fizemos juntos. Depois mamãe ficou doente. Aqui eu e meu pai estamos na cozinha, preparando o almoço do dia das mães. Esta é a última foto de minha mãe, eu a peguei no colo. Lembro que enquanto o papai batia a foto ela disse para ele: "O nosso nenê cresceu, Marcelo, agora é ele que me dá colinho".

Depois que minha mãe morreu, nenhuma outra fotografia foi acrescentada ou retirada.

Corte.

Sequência 3: a invasão

Denise abre a caixa em que estão os porta-retratos de sua família.

Retira um por um e os deposita com cuidado no sofá, enquanto olha para o móvel de fotos da família do marido.

Os olhares de Marcelo e Chico se encontram, apreensivos.

Locução em off: Chico

Não, não, aí não!, tive vontade de gritar. Nem pense em mexer nas nossas fotos!

O que essa doida pretende fazer? Tá legal que ela é decoradora e coisa e tal, mas não acredito que vai ter a cara de pau de encaixotar as fotos da minha mãe para dar espaço às da sua família.

E o que é isso? Por que esse exagero de fotos da cerimônia do casamento dela com meu pai?

Quanto clichê emoldurado. Todas as fotos tiradas por um fotógrafo pentelho que não largava do nosso pé no almoço de comemoração.

Noivos abraçados, sorrindo para a câmera.

Xiiiisss. Vamos lá. Só os três homens. Dizendo xiiiisss.

Eu lá, abraçado ao meu pai e àquele troglodita do André, que nem sequer simula um sorrisinho de canto de lábio.

Xiiiisss. Agora, as meninas e o Chico. Vamos lá, os três fazendo xiiiisss.

Eu lá, com a Denise e a Beá.

Xiiiisss. Tá ótimo, tá ótimo. Agora. Um, dois, três... Xiiiisss.

Eu lá, no meio do meu pai e da noiva perfumada.

Xiiiisss. A família olhando pra cá. Tá genial. Todo mundo fazendo xiiiisss.

E eu lá, junto dos quatro. Abraçadinhos. Uma família feliz...

As cenas do casamento que gravei ficaram muito, mas muito mais originais. Principalmente a do momento "onde foi parar a aliança"?

Todo mundo procurando a aliança da Denise, que caiu e rolou no chão bem no momento em que meu pai a colocava no dedo dela. Todos os convidados abaixados, procurando, tateando, olhando em todos os cantos do salão. Uma cena verdadeiramente imperdível. Até que alguém grita "tá aqui! Achei!", e todos voltam aos seus lugares, aliviados. Denise dá um sorriso, meu pai suspira e a cerimônia continua.

O bom do casamento civil é que acaba logo.

Corte.

Sequência 4: a conciliação

Câmera em movimento: primeiro acompanhando o olhar de Denise para todos os móveis da sala. Depois, de Marcelo para Chico, que continuam apreensivos e mudos, atentos às ações da decoradora.

Denise:

— E se nós mudássemos o lugar das fotos? Vocês topam? E se concentrarmos todas elas nas prateleiras daquela estante, com os livros? Assim não precisaremos descartar nenhuma. O que acham?

Marcelo (aliviado):

— Acho ótimo mudar o lugar das nossas fotos, eu nunca tinha pensado nessa possibilidade.

Denise:

— Então me ajude aqui. Vamos reorganizar os livros e abrir espaço para as fotos. Vai ficar bacana.

Marcelo:

— A profissional aqui é você, Dê. O que você mandar, eu faço.

Denise:

— Quer ajudar também, Chico? Aqui também tem muitas fitas VHS infantis que eu acho que você não assiste mais, não é? Será que não está na hora de se desfazer delas?

Chico (aflito):

— Não, nem pensar! Eu levo as fitas pro meu quarto, pode deixar!

Denise:

— Desculpe, desculpe. Pensei que você não se interessava mais por elas.

Marcelo (olhando para o filho):

— Ele via com a mãe, Denise. São muito especiais.

Locução em off: Chico

Conhecia aquele olhar e aquele tom de voz do meu pai. Percebi que ele sentiu o mesmo alívio que eu em relação às fotografias. Mas também certa apreensão com as mudanças que estavam acontecendo nas nossas vidas. Não queríamos jogar nada fora. Fossem objetos ou lembranças.

Tínhamos uma espécie de pacto.

No dia do casamento, no café da manhã, meu pai virou para mim e disse:

— Fique tranquilo, filho, não vamos perder nossa história. Vamos preservá-la dentro de nós. Agora estamos apenas nos dando a chance de começar outra.

Corte.

Segundo flashback: o banheiro
Tempo cronológico: três meses atrás

Sequência 1: menino no banheiro

Cena: Chico sai do banheiro e entra em seu quarto.
Corte.

Sequência 2: menina no banheiro

Cena: Beá fecha a porta do banheiro, segue até a porta do quarto.
Corte.

Sequência 3: o acordo

Cena: Beá bate na porta do quarto do Chico e entra.
Beá:
— Estamos com um problema.
Chico:
— Qual deles?

Beá:

— Faz um tempo que a gente divide o mesmo banheiro, né?

Chico:

— E? Você tá querendo propor uma tabela de horários, é?

Beá:

— Não, mas precisamos definir algumas coisas.

Chico:

— Eu não vou usar seus absorventes, fique tranquila.

Beá:

— É o seguinte. Ou você começa a abaixar a tábua ao sair do banheiro, ou vou precisar fazer xixi de pé.

Chico:

— Ou eu posso fazer xixi sentado...

Beá:

— Você também pode experimentar aqueles fraldões geriátricos. E nunca mais se preocupar se o banheiro está ocupado ou não...

Corte.

Locução em off: Chico

O melhor do casamento do meu pai foi a Beá.

Ela é a pessoa mais verdadeira e sensível e rápida de pensamento que eu já conheci.

Tem mais: é mais nova que eu em idade, e mais velha no seu instinto de autopreservação. Não foi à toa que a gente se identificou tanto.

Tem mais uma coisa: eu preciso reconhecer que ela tem um sarcasmo muito, mas muito mais afiado que o meu. Aprender a rir com a própria desgraça pode ser uma boa estratégia de sobrevivência. E de convivência.

E tem mais outra coisa: se eu gostasse de meninas, acho que poderia me apaixonar por ela.

E tem mais ou menos: estou começando a desconfiar que ela é quem está se apaixonando por mim.

Conclusão de todas as coisas: problema dos grandes à vista.

Terceiro flashback: lua de mel
Tempo cronológico: dois meses atrás

Locução em off: Chico

Faz três meses que elas estão morando aqui. E eu ainda não me acostumei direito com a nova situação.

A começar por ter entrada proibida ao quarto do meu pai. Observação: que antes do casamento era totalmente liberada.

Agora temos um novo combinado. Sempre que voltar da rua, devo bater na porta do casal e avisar: "oi, cheguei, pai!".

E esperar que ele responda qualquer coisa como um "ahãm" ou um "tá, filho" ou, se ele estiver bem acordado, um "tá tudo bem com você, Chico?".

Hoje ele me respondeu com um grunhido difícil de reproduzir.

Conviver com mulheres em casa também está sendo muito estranho. Tinha esquecido completamente como era.

Minha mãe não conta muito, era minha mãe. Eu não a enxergava como uma mulher. Principalmente como uma mulher que fazia sexo com um homem, que por sinal era meu pai.

Nunca vi minha mãe com camisolas decotadas. Como a Denise. Nunca encontrei marca de batom nos copos e xícaras, como a Denise deixa. Nunca senti os telefones impregnados com um perfume doce e enjoativo...

Lembro da minha mãe dormindo com camisetas largas e brancas, de rosto lavado e com cheiro de lavanda.

Será que minha mãe não era uma mulher de verdade? Você é louco, Chico?!

Não faço ideia de quanto tempo vai durar essa fase de lua de mel. Acho improvável que a vida inteira. Como dizia minha mãe, só as comédias românticas têm finais felizes. E, pelo que tenho visto, casamentos costumam dar mais em drama que em comédia.

Enquanto a *love story* não acaba, os pombinhos nos dão um pouco de folga por volta das dez horas da noite. Beá e eu ficamos sozinhos, tipo os donos da casa.

Algumas sextas ou sábados à noite eu faço com ela o que minha mãe fazia comigo: vamos à locadora e alugamos um monte de filmes. Encaramos uma maratona temática. Um filme atrás do outro.

Ela adora um drama. Quanto mais tragédia, melhor. Ainda vou mudar o humor dessa garota.

Quarto flashback: *Cantando na chuva*
Tempo cronológico: um mês atrás

SEQUÊNCIA 1: O GUARDA-CHUVA E A MENINA APAIXONADA

Cena: Rua. Entardecer. Chico e Beá andando a pé. Dividem o mesmo guarda-chuva rosa, estampado com o Mickey e a Minnie.

BEÁ:

— Pode me dizer do que você está rindo tanto?

CHICO:

— Você já viu o Gene Kelly em *Cantando na chuva*?

BEÁ:

— Quem?

Chico:

— Era um ator e dançarino do tempo dos grandes musicais de Hollywood. E ele também cantava. Maravilhoso.

Beá:

— E...?

Chico:

— Ele tem uma coreografia incrível. Dança e canta com um guarda-chuva. Na chuva, claro.

Beá:

— E...?

Chico:

— Eu fiquei imaginando que, se ele tivesse de dançar e cantar com este seu guarda-chuva, o filme não teria se tornado um clássico... mas uma grande comédia, tipo chanchada.

Beá:

— Olha, se reclamar mais uma vez, vai tomar chuva, tá? Que ingrato!

Chico:

— Você ia ter coragem de deixar seu irmãozinho se molhar?

Beá:

— Ia. Me diz uma coisa, Chico, por que é que todas as garotas do mundo olham pra gente quando estamos juntos?

Chico:

— Olham, é? Nunca percebi.

Beá:

— Agora, por exemplo, aquela moça que passou quase escorregou de tanto que encarou a gente. Primeiro olhou pra você, depois pra mim.

Chico:

— Garota? Que garota? Ela deve ter olhado é pra esse seu guarda-chuva fashion. Quantos anos você tinha quando comprou este negócio? Cinco?

Beá:

— Sete. Eu ganhei do meu pai. É de estimação. Mas como você não percebeu? A garota era linda e quase caiu bem na nossa frente.

Chico:

— E daí?

Beá:

— Como assim, e daí? Se um cara lindo olhasse assim pra mim eu era capaz de fazer até xixi na calça de tanta emoção...

Chico:

— Ela não faz meu tipo, Beá.

Beá:

— Ahá! Eu sabia que você tinha visto a garota!

Chico:

— Não reparei. Já disse!

Beá:

— Então, como sabe que ela não faz seu tipo?

Chico (gaguejando):

— Intuição masculina.

Beá:

— Mas eu sei.

Chico:

— Sabe o quê?

Beá:

— Por que elas te olham. Está na sua cara. Você é lindo.

Chico:

— Nossa, obrigado! Você está gentil hoje. Deve ser porque a gente está debaixo deste romântico guarda-chuva do Mickey e da Minnie. Você nunca disse que me achava bonito.

Beá:

— Nem você. Eu sei. Eu sei. Já me olhei no espelho, sorry. Não precisa comentar nada.

Chico:

— Ah, Beazinha... desencana, vai? Dá pra andar mais depressa que eu já estou todo molhado?

Beá:

— Você fala pra eu desencanar porque já nasceu um príncipe encantado. Queria só ver se você tivesse uma cara de ogro num corpo de girafa.

Chico:

— Minha mãe dizia que quem ama o feio, bonito lhe parece.

BEÁ:

— Por que ela dizia isso? Sua mãe por acaso era cega? Não via como você era bonito?

CHICO:

— Sei lá...

BEÁ:

— Posso te fazer uma pergunta, mas você responde com sinceridade?

CHICO:

— Eu sempre respondo com sinceridade, irmãzinha.

BEÁ:

— Me diga uma coisa, de verdade. Você seria capaz de se apaixonar por uma pessoa assim como eu?

CHICO:

— Assim como você? O que você quer dizer com isso?

Beá:

— Você sabe muito bem do que eu estou falando.

Chico:

— Tá, eu sei onde você quer chegar. Então vou editar. Claro que eu me apaixonaria por uma pessoa “assim” como você.

Beá (incrédula):

— Jura? É sério?

Chico (rindo):

— Mas nosso amor é impossível. Você é muito pivete e eu sou seu irmãozinho. Seria uma relação altamente incestuosa...

Beá:

— Não somos irmãos de verdade, sabia? E, como nossos pais se casaram há menos de seis meses, não dá nem pra dizer que somos irmãos de criação.

Chico:

— Tá, é um argumento. Você é boa nisso.

Beá:

— Ah, e você é apenas três anos mais velho do que eu. E não seria considerado pedofilia.

Chico:

— Praticamente quatro.

Beá:

— Três. Este ano você faz 18 e eu 15, esqueceu? E seu pai também é sete anos mais velho que minha mãe.

Chico:

— E daí?

Beá:

— E daí?

Chico:

— Onde é que você está querendo chegar, hein? Não estou entendendo.

Beá (evasiva):

— Sei lá. De repente. Não sei direito...

Chico:

— Impressionante como você foi capaz de se explicar.

Beá:

— De repente pode não ser completamente impossível... a gente podia considerar a possibilidade de... e por que não?

Chico:

— Porque não é possível.

Beá:

— Então você me enganou quando disse que seria capaz de se apaixonar por alguém como eu.

Chico:

— Não te enganei, não. Eu disse que seria, não disse que estou apaixonado. Entende a diferença?

Beá:

(não responde)

Chico:

— Você está me escutando, Beá?

Beá (arrasada):

— Eu não sou surda!

Chico (receoso):

— Beá, eu acho que você não interpretou bem o que eu falei. E acho que eu também não me expliquei muito bem.

Beá (chorando):

— Não precisa explicar nada. Eu já entendi. E não quero conversar.

Chico:

— Ah, legal você. Agora não quer mais conversar... e deixa o clima assim pesadão.

Beá:

(não responde)

Chico:

— E depois diz que não é criança...

Corte.

Locução em off: Chico

Chegamos em casa completamente molhados. E mudos.

Ela foi direto para o quarto. Não queria papo.

Às vezes as pessoas aparecem na vida da gente da forma mais surpreendente e no momento mais inesperado. Algumas nos fazem mal, outras podem nos fazer um bem danado.

Com a Beá foi assim. Desde o primeiro encontro, a primeira conversa.

A gente tem se entendido muito. Eu sempre quis ter um irmão ou uma irmã assim.

Mas ela gosta de meninos. Eu sei que isso não é um problema. Mas complica bastante quando esse cara sou eu.

Porque eu gosto de meninos.

Nem que quisesse fazê-la a garota mais feliz do mundo, eu não conseguiria. Mesmo gostando tanto dela.

Como um irmão gosta de uma irmãzinha de verdade.

Hoje ela ficou muito mal porque se revelou. E sabe que se revelou. E sabe que agora eu sei o que ela sente por mim.

Ela foi corajosa, essa minha irmã. Tem muito mais coragem do que eu. Levei quase cinco anos para me revelar para o Johnny. Beá levou cinco meses.

Tem mais: ela se sentiu rejeitada. Ficou muito envergonhada. E está sofrendo.

E tem outro mais: ela vai sofrer ainda mais se eu não fizer nada. Mas também vai sofrer se eu fizer.

Agora sem mais nem menos: não tenho muita escolha. A Beá precisa saber por que eu não me apaixonaria por ela.

Depois é depois, eu acho que posso aguentar.

Sequência 2: os dois patinhos

Cena: Noite. Quarto do Chico. Ele e Beá estão sentados na cama, encostados na parede com as pernas para fora da cama. Beá olha para a frente enquanto fala com ele.

Beá:

— Não sei o que estou fazendo aqui.

Chico:

— Você está usando aquela sua estratégia de ser fantasma?

Beá:

— Claro que não.

Chico:

— Mas tá parecendo. Desde ontem você não fala comigo e foge quando me vê.

Beá (impaciente):

— O fantasma agora pra mim é você.

Chico (coloca seu rosto na frente do rosto de Beá):

— Mas eu estou aqui, tá me vendo? E quero conversar com você.

Beá:

— Vai depender do assunto, já estou avisando.

Chico (respira fundo):

— Ainda está mal com o que a gente conversou ontem?

Beá:

— Ontem? O que a gente conversou ontem?

Chico:

— Lembra de algum guarda-chuva do Mickey e da Minnie? Da chuva? Você ficou magoada comigo, não foi?

Beá (irritada):

— Pronto. Eu sabia que você ia cair nesse tema.

Chico:

— Oba, lembrou. Achei que estava com amnésia.

Beá:

— Já disse que não quero falar sobre esse assunto.

Chico:

— Beá, o que eu quero falar com você tem e não tem a ver com esse assunto.

Beá:

— Ah, é? E como isso é possível, pode me dizer?

Chico:

— O que eu quero te contar tem a ver com o que aconteceu, mas tem a ver mais comigo.

Beá:

— Ontem eu fui muito ridícula. E você, que é tão mais velho que eu, também foi.

Chico:

— Por que eu disse que seria capaz de me apaixonar por você, foi isso?

Beá:

— Foi.

Chico:

— Mas você perguntou.

Beá:

— É. Eu sei. Mas é que eu queria ouvir a resposta que você deu.

Chico (receoso):

— Então, por que essa cara? Eu não estava mentindo. Juro. Se eu gostasse de meninas, gostaria de me apaixonar por alguém assim como você.

Beá (surpresa):

— Repete? Acho que não entendi direito.

Chico:

— Eu sei qual foi a parte que você não entendeu. Então, vamos lá. Se eu gostasse de meninas, de ficar com meninas, de namorar meninas, eu poderia me apaixonar por você.

Beá (séria):

— Você não seria capaz de inventar uma desculpa "criativa" como essa só por não querer me magoar, né?

Chico (sério):

— Não, não seria. Eu gosto de meninos.

Beá (decepcionada):

— Não é possível. Me belisca. Acho que essas coisas só acontecem comigo.

Chico:

— Pode acontecer com todo mundo. Ou você acha que é a única garota que começou a gostar de um cara como eu?

Beá:

— Me diga uma coisa. Então você nunca vai se apaixonar por menina nenhuma?

Chico:

— Não vejo chances. Eu bem que tentei.

Beá:

— Menos mal.

Chico:

— Menos mal para quem?

Beá:

— Pensa bem, se você aparecesse por aqui com outra menina, eu ia morrer de ciúmes. Já com outro cara...

Chico:

— Pode me dizer que diferença isso faz?

Beá:

— Pra você pode não fazer, mas pra mim faz e muita. Imagina só. Se você aparecesse com uma menina linda e gostosona aqui em casa e a apresentasse como sua namorada, eu era capaz de me atirar pela janela de tanta humilhação. Mas com um menino, não. Eu preciso me conformar e pronto.

Chico (rindo):

— Desculpe não poder ser seu príncipe encantado.

Beá:

— Essa nossa história daria um filme bem interessante. E bem hoje você não ligou a sua câmera?

Chico:

— Você é doida, mesmo. Achei que fosse me bater, me xingar, dizer que nunca mais queria me ver.

Beá:

— É mesmo? Acho que eu não estudei direito minha fala. Era isso que eu tinha de dizer agora, é? Então, me dá uma cola, o que está escrito no seu roteiro?

Chico:

— Agora você começa a chorar.

Beá:

— E depois?

Chico:

— Depois você fala que está muito decepcionada comigo, que não consegue aceitar... que não compreende.

Beá:

— E depois?

Chico:

— Bem, você também pode dizer que eu não gosto de meninas porque ainda não conheci a garota certa. Mas que talvez possa me ajudar...

Beá:

— E o que mais?

Chico:

— Você ainda pode falar alguma coisa como: "mas como você pode ser gay, se não usa roupas de mulher nem é afeminado?".

Beá:

— E o que mais?

Chico:

— Você pode afirmar: “deve ser só uma fase, vai passar, você é muito jovem”.

Beá:

— E...?

Chico:

— Ah, tem outra boa: “você precisa procurar um psiquiatra ou um psicólogo para se tratar. Deve ser falta de hormônio masculino”.

Beá:

— Acabou?

Chico:

— Não, tem muito mais. Mas já chega, né? A gente pode passar pra outra cena, que tal?

Beá:

— Por exemplo?

Chico:

— Por exemplo: o que você está sentindo? Tá com raiva de mim?

Beá:

— Não, raiva não. Só que ainda não sei o que eu estou sentindo. Estou muito confusa. Mas pode ficar tranquilo que eu não vou repetir nenhuma dessas falas que você sugeriu.

Chico:

— Não?

Beá:

— Não, nada a ver. Eu adoro você, Chico. Gosto de você pelo que você é. E você é o que é, pronto.

Chico:

— Sério?

Beá:

— Sério.

Chico:

— Jura? Assim, na boa?

Beá:

— Não. Tô mentindo. Eu te odeio e estou com raiva. Sabe por quê? Por que você nunca vai se apaixonar por mim.

Chico (contente):

— Estava com medo, mas achei que tinha que te contar. Não era justo deixar que você ficasse se iludindo. Eu já andava desconfiado, mas depois daquele nosso papo de ontem, e da bandeira que você deu, decidi que era melhor arriscar.

Beá:

— Você já contou pra alguém? Seu pai sabe?

Chico:

— Que você estava se apaixonando por mim?

Beá:

— Não banque o engraçadinho, você entendeu muito bem o que eu perguntei.

Chico:

— Contei pra um amigo, o João, aquele que mora aqui no prédio. Que depois virou um ex-amigo, quando soube. Pro meu pai ainda não. Fico ensaiando, mas não tenho coragem.

Beá:

— Do que você tem medo? Que ele te rejeite?

Chico:

— Claro. Você também não teria receio de contar para seus pais, se gostasse de meninas?

Beá:

— Eu não sei, não estou na sua pele. Mas, olha, pode não ser como você imagina.

Chico:

— Eu acho que ele não ia deixar de me amar, nem ia me rejeitar. Mas não queria que ele se decepcionasse comigo.

Beá:

— Por acaso minha mãe não me rejeita também, por eu não ser do jeito que ela queria que eu fosse? Nem por isso me chutou pra fora de casa. E a gente nem morre de amores uma pela outra, como você e seu pai.

Chico:

— Se eu tivesse coragem, já tinha me aberto com ele há muito tempo. Se você soubesse como foi difícil no período em que minha mãe estava morrendo... eu sentia muita vergonha de mim, não queria ser diferente dos meus amigos. Com o apoio do meu pai teria sido muito mais fácil.

Beá:

— Não consola muito, mas eu acho que sei o que é não ter apoio das pessoas que a gente gosta, bem na hora que a gente precisa.

Chico:

— Você já sentiu vontade de desaparecer? Assim como morrer só um pouquinho?

Beá:

— Já. Algumas vezes. Quando você teve certeza que era... desse jeito?

Chico:

— De que eu era gay, você quer dizer. Pode falar, não é nenhuma ofensa.

Beá:

— Tá bom. Quando você teve certeza que era gay?

Chico:

— Sei lá, faz tempo. Quando comecei a crescer. Quando você tinha 12, 13 anos, por acaso teve alguma dúvida se eram os meninos ou as meninas que te atraíam?

Beá:

— Não, nenhuma. Quando tinha 12 anos eu era completamente apaixonada por um garoto da minha classe. Ele não era propriamente um menino bonito, mas era tão tímido, tão tímido, que ficava vermelho por qualquer besteira e eu o achava a coisa mais fofa do mundo. Ele usava óculos e era loiro e magrelo, assim como eu.

Chico:

— Peraí, peraí. Então você estava apaixonada pela sua imagem no espelho?

Beá:

— Não, ele existe de verdade mesmo. Chama Tiago. Mas não está mais na minha escola. É uma longa história, Chico.

Chico:

— Mas conta, conta.

Beá:

— Os meninos da classe viviam gozando da nossa cara, porque a gente tinha mesmo um jeito bem parecido. Além da aparência, éramos muito na nossa, muito fechados. Só pra sacanear, me chamavam de Tiaga e ele de Beó. Eu ficava com tanta pena quando o chamavam assim! Ele quase morria de vergonha. Às vezes até chorava. Aí me dava uma vontade de me aproximar, dizer pra ele não se incomodar, pra ignorar aqueles bobões, que uma hora eles se cansavam e paravam. Mas e a coragem? E se eu chegasse perto dele e começassem a zoar ainda mais da gente?

Chico:

— Tadinhos dos dois. Será que ele também gostava de você?

Beá:

— Nunca vou saber. Às vezes, quando o chamavam de Beó, ele me olhava pra ver onde eu estava, acho que era uma espécie de pedido de socorro. Eu também fazia o mesmo quando me chamavam de Tiaga.

Chico:

— Vocês nunca se falaram? Nunca se defenderam?

Beá:

— Um dia o Tiago tentou me defender. Foi quando desenharam na parede da classe um coração com os nomes Tiaga e Beó no centro e colocaram um monte de camisinhas grudadas com chiclete em volta.

Chico:

— Uau! Que cena!

Beá:

— Aí o Tiago, quando viu aquilo, ficou muito nervoso. Muito mesmo. Foi até o desenho, na hora do intervalo, e consertou as últimas letras dos nossos nomes. Ficou Tiago e Beá.

Chico:

— Mas isso foi uma espécie de declaração. Não foi?

Beá:

— Não sei, só sei que depois ele desceu no pátio, chegou perto dos garotos que tinham nos sacaneado e gritou: "por que vocês não param de encher o saco da menina?".

Chico:

— Puxa, ele foi durão. E aí, e você? A princesinha não fez nada? Ficou só vendo, fingindo que não tinha nada a ver com a história?

BEÁ:

— Eu só chorava de longe.

CHICO:

— Devia ter ido ajudar. Ele estava te defendendo. Ia lá e defendia o cara também. Você não disse que gostava dele? Meninas...

BEÁ:

— O pior você nem imagina, Chico. Um dos garotos, o mais imbecil, pegou o que o Tiago tinha dito e começou a zoar mais ainda: "mas a única menina que tem saco aqui é você, Tiaga". Aí outro falou: "nossa, Tiaga, não fica assim nervosa, faz mal pra pele...".

CHICO:

— Caramba! Pegaram pesado com o garoto. Eu sei o que é isso. Conheço histórias como essas. Eu sempre morria de medo de cair na boca de uns cretinos da minha escola, assim como esses. E o Tiago, como se saiu dessa?

BEÁ:

— Ele deu o maior murro na cara de um deles, e apanhou dos outros quatro. Todos foram parar na diretoria e levaram suspensão. No dia seguinte, quando eu cheguei na classe, o coração da parede estava apagado. E três dias depois, quando o Tiago voltou, eu me enchi de coragem e pedi que a Renata entregasse um bilhetinho pra ele.

CHICO:

— Ah, eu sabia que você não era tão bobinha assim. O que você escreveu?

BEÁ:

— Só escrevi assim: "obrigada, Tiago".

CHICO:

— Mais nada? Que falta de iniciativa... "obrigada"? Só isso?! O cara bate e apanha pra te defender e você escreve apenas um "obrigada"? Obrigado a gente fala quando seguram a porta do elevador quando está entrando, não pra quem leva suspensão e apanha por nossa causa. Francamente, meninas...

BEÁ:

— O que você queria? Sexo? Eu tinha 12 anos e ele também.

CHICO:

— Tá, tá legal. Agora já foi mesmo. Deixa pra lá. E ele respondeu? O que ele fez?

BEÁ:

— Nada. Ou melhor, ele fez sim. Me ignorou mais ainda e foi embora da escola quando acabou o ano. E eu nunca mais soube dele.

CHICO:

— É uma história de amor bem frustrante, eu diria.

BEÁ:

— Como todas as minhas histórias de amor... Mas você me enrolou e fui eu que acabei contando a minha primeira paixão. Quando foi afinal que você percebeu que gostava de meninos?

CHICO:

— Quando eu tinha uns 11 anos. Por aí. Sentia que os meninos chamavam a minha atenção muito mais que as meninas. Mas não entendia direito o que estava acontecendo. Não sabia se era assim com todo mundo. Com 12 eu comecei a ter certeza. Um dia percebi que eu estava gostando de um jeito diferente de um colega de classe. Eu só pensava nele. Quando a gente jogava futebol e ele esbarrava em mim ou eu nele, sempre sem querer, eu sentia uma coisa estranha, que não sabia definir. Ficava péssimo. Sofria muito. Achava que estava ficando louco. Que todo mundo ia acabar descobrindo os meus sentimentos. E era a última coisa que eu queria que acontecesse. Naquela época, eu achava que ia morrer sem nunca contar pra ninguém o que estava se passando comigo.

BEÁ:

— Você nunca falou com esse garoto?

CHICO:

— Você está louca? Claro que não. Nem comigo eu tinha coragem de conversar sobre isso. Tinha vergonha até de imaginar que pudessem ler os meus pensamentos. Então eu chegava em casa e me trancava no quarto. Pra poder ficar pensando nele sem correr o risco de ser descoberto por alguém.

Beá:

— E ele nunca ficou sabendo? Nem depois que vocês cresceram?

Chico:

— Não. Até porque essa paixonite passou no ano seguinte. Quando minha mãe adoeceu, eu passei um bom tempo tentando me convencer de que eu estava enganado e que precisava me apaixonar por uma garota.

Beá:

— Poxa, que pena que eu não te conheci nessa ocasião. Perdi uma grande oportunidade...

Chico:

— Sua boboca, você ainda usava fraldas!

Beá:

— Ah, desculpa, me esqueci que eu tinha dez anos... Seus colegas não sabem?

Chico:

— Nunca falei nada. Às vezes eu acho que sabem. Porque alguns não se conformam ao ver como algumas meninas ficam no meu pé e eu nem aí. Estou cansado de escutar: "ô, Chico, ou tu é muito burro ou é muito bicha".

Beá:

— E você?

Chico:

— Disfarço. Finjo. Sou bom ator.

Beá:

— Você já ficou com garotas?

Chico:

— Já. Com algumas. No início, pra ver como era; depois, pra confirmar que não era mesmo meu barato. Mas também já fiquei só pra disfarçar, pra não ficar mal na frente dos meus amigos. Não sei o que eu tenho, as meninas não desgrudam de mim.

Beá:

— Você não sabe? Tá bom que eu acredito. Você só é lindo e tudo de bom que uma menina quer: é educado e gentil com as garotas, sabe ouvir e falar sobre muitos assuntos, tem bom humor...

Chico:
— E você, já ficou?
Beá:
— Com meninas? Não, elas não fazem meu tipo.
Chico:
— Engraçadinha.
Beá:
— E também não fiquei com meninos. Sou BV. Você acredita?
Chico:
— Não!!!
Beá:
— Nem eu. Mas é verdade.
Chico:
(silêncio)
Beá:
— Não precisa ficar com pena de mim. Pra você ver como sua vida não é tão mais desgraçada do que a minha.
Chico:
— Daqui a pouco você vai encontrar um cara legal, você vai ver.
Beá:
— Achei que tinha encontrado, mas por azar eu nasci menina, fazer o quê.
Chico:
— Você vai encontrar um cara legal que também goste de meninas legais.
Beá:
— Tá bom. Tá bom, vou ficar esperando sentada aqui no seu quarto pra ver se aparece algum. E com meninos, Chico, você já ficou?
Chico:
— Virou interrogatório, é?
Beá:
— Ficou ou não ficou?
Chico:
— Também.

Beá:

— Rodado esse meu irmãozinho! Do colégio?

Chico:

— Não. Nunca. O primeiro cara com quem eu fiquei foi também meu primeiro namorado. Eu o conheci pelo Orkut, numa comunidade de cinema. Vi o perfil e gostei no ato da cara dele e do jeito como ele se apresentava.

Beá:

— Ele dizia que era gay?

Chico:

— Sim. Ele não se esconde de ninguém. Eu ainda não saí do armário no meu perfil.

Beá:

— Mas você vai sair logo, vai ver só.

Chico:

— Espero que sim, estou ficando com falta de ar dentro dele.

Beá:

— Vai, continua, eu te interrompi.

Chico:

— Bom, então eu comentei o post dele, deixei um scrap, ele me respondeu, eu escrevi de novo e, bem, aí começamos a conversar pelo MSN. A gente tinha muita afinidade. Bom, ainda temos. Nós dois queremos fazer cinema... ele também é filho único. Temos a mesma idade, gostamos das mesmas bandas, e somos até do mesmo signo, acredita? Sabe quando parece que a gente já se conhecia há muito tempo?

Beá:

— Assim como a gente?

Chico:

— É, assim mesmo. Mas com o Ju era meio diferente, você entende? A gente logo viu que rolava alguma coisa mais forte, mais verdadeira, mais de pele. Ele não era um cara qualquer pra mim e eu não era um cara qualquer pra ele. Um dia decidimos fazer uma loucura e nos encontramos pessoalmente. Ele mora em outra cidade.

Beá:

— Você não ficou com medo que aparecesse na sua frente um cara completamente diferente das fotos do Orkut ou do MSN? Ou que ele nem existisse, fosse um fake de algum maluco ou de alguém que estava querendo te sacanear?

Chico:

— No início eu até cheguei a pensar que ele era muito legal pra ser de verdade. Fiquei uns dias pensando que podia ser alguém que me conhecia muito bem, sabia como eu era e do que eu gostava e estava a fim de me armar uma cilada. Na neura, acabei ficando superdistante, tentando não dar muita bandeira ou informações que me comprometessem. Depois, quer saber, desencanei. Abri o jogo e falei pra ele que estava desconfiando e coisa e tal.

Beá:

— E ele não ficou supermagoado?

Chico:

— Não, caiu na risada, porque ele estava sentindo a mesma coisa. Também estava com o pé atrás comigo. Então a gente resolveu seguir em frente.

Beá:

— E aí vocês se viram e se apaixonaram?

Chico:

— Não, a gente já estava apaixonado antes de se encontrar pela primeira vez. Não sei explicar, mas eu já sabia que ele ia ser uma pessoa especial na minha vida. Eu nunca tinha conhecido ninguém como ele.

Beá:

— E você foi até lá ou ele veio pra cá?

Chico:

— Ele veio, ficou hospedado aqui em casa.

Beá:

— Aqui? Nossa! E seu pai? Não percebeu nada?

Chico:

— Acho que não. Se desconfiou, não falou. E eu posso receber amigos em casa, não é mesmo?

Beá:

— E então vocês começaram a namorar?

Chico:

— É. Sei lá, acho que era um namoro. Eu estava apaixonado de verdade. Acho que ele também. Aí rolou. E você é menor de idade. E batatinha quando nasce se esparrama pelo chão... e só.

Beá:

— Você acha que além de usar fraldas eu sou besta? Vocês ficaram quanto tempo?

Chico:

— Ah, não muito. Três meses. Quando dava, ele vinha pra cá. Eu nunca pude ir lá na casa dele, porque os pais descobriram que o Ju era gay e ele acabou enfrentando uma barra e tanto. O pai não fala mais com ele, só a mãe. E o Ju precisou começar a trabalhar e estudar à noite, pois o pai disse que não sustentava filho veado e que ele tinha muita sorte por não ser colocado no meio da rua. E olha que a família dele tem muito dinheiro.

BEÁ:

— Nossa! Que barra. Foi assim?

CHICO:

— Foi. Ele só está esperando acabar o ensino médio e fazer 18 anos pra sair de casa. Quer fazer faculdade em uma cidade grande. Em cidade pequena é muito mais complicado ser gay, sabia? Bom, agora a gente é só amigo. E ele já está namorando outro cara.

BEÁ:

— E você?

CHICO:

— Eu, bem, eu conheci um cara bem interessante lá no curso de cinema que estou fazendo. Te contei desse curso? Começou na semana passada e é bem legal. E bom... o nome desse cara é João Pedro. Ainda não sei qual é a dele. É um tipo meio estranho. Uma hora parece que está superinteressado em mim; outras vezes meio que me ignora. Tipo menina que gosta de se fazer de difícil pra deixar o cara inseguro, sabe como é?

BEÁ:

— Não sei não. Nunca precisei fazer tipo pra garoto. Bem que eu gostaria...

CHICO:

— Quem sabe rola alguma coisa. Estou torcendo. Nem que seja uma ficada. Até porque, antes de falar com meu pai, acho que não vou conseguir assumir namoro sério com ninguém.

BEÁ:

— Será que um dia alguém vai se apaixonar por mim? Alguém assim como você?

CHICO:

— Impossível, alguém mais legal que eu? Não existe.

BEÁ:

— Você é um cara muito metido, sabia?

CHICO:

— Metido não, sincero. Mas claro que você vai encontrar alguém que goste de verdade de você, sua boba... Beá?

Beá:

— Ãhhhh...

Chico:

— Você já pensou em mudar de colégio quando for pro ensino médio?

Beá:

— Por quê?

Chico:

— Acho que ia te fazer bem. Sair do seu gueto, que já está meio contaminado, e conhecer outras pessoas, com outras caras, outros jeitos. Não acha não?

Beá:

— Você acha? Sei lá. Pode ser. Prometo que vou pensar. Chico?

Chico:

— Queeê?

Beá:

— Você já pensou em enfrentar esse seu fantasma e abrir o jogo com seu pai? Tenho certeza que vai ser melhor pra você...

Chico:

— Você acha mesmo? Sei lá. Pode ser. Prometo que vou pensar...

Beá:

— Quer parar de me imitar? Estou falando sério. Se quiser, eu te ajudo. A gente pode armar uma situação oportuna, o que acha?

Chico:

— Oportuna como? Você quer montar um cenário e um roteiro pra que eu possa atuar, é isso?

Beá:

— É, mais ou menos assim. Já pensou, você pede pra falar só com seu pai, em particular, não, peraí, melhor com toda a família, assim eu também assisto e se precisar ajudo na interpretação.

Chico:

— Você enlouqueceu completamente, mas continua, estou gostando...

Beá:

— Aí você chega pra gente, com uma cara assim de quem está sofrendo muito, e fala que tem uma revelação muito importante e delicada pra fazer. Se conseguir, também começa a chorar.

Chico:

— Sei. Chorar. Tá bom. E aí, senhora roteirista?

Beá:

— Bom, seu pai vai ficar muito preocupado, é lógico. Então você inventa alguma coisa assim cabeluda, como se estivesse muito doente, sei lá. Fala que fez um exame de sangue e que está com uma doença gravíssima, terminal. Tá entendendo?

Chico:

— Não, até agora só consegui entender que você quer matar meu pai do coração.

Beá:

— Você ainda vai entender. Quando você disser que vai morrer, todo mundo vai ficar chocado, desesperado... principalmente seu pai, não é verdade?

Chico:

— Espero que sim, né? Ficar sabendo que o único filho está à beira da morte...

Beá:

— E nessa hora, no meio do desespero, você fala que tem uma boa notícia.

Chico:

— Uma boa notícia. Sei... continua.

Beá:

— É, você fala algo como: "pai, olha, a boa notícia é que você não vai me perder". E conta que você tinha inventado essa história só pra mostrar que coisas muito ruins na vida da gente podem acontecer...

Chico:

— Nessa hora ele me dá um murro ou me interna, Beá... onde você quer chegar?

Beá:

— Na verdadeira revelação, oras! Aí você continua e diz: "olha, pai, eu não vou morrer, e o que eu vou te contar também não é o fim do mundo". E aí você fala: "eu sou gay, pai, era isso que eu queria te contar".

Chico:

— Estou pasmo! Sem palavras...

Beá:

— Obrigada, obrigada. Eu sei. Minha ideia é boa, né? Tá tudo encadeado. Acho que vai dar supercerto.

Chico:

— E eu acho que você recebeu muita informação esta noite e deve estar esgotada, passando mal, delirando. Vai descansar, vai, Beá. Amanhã a gente conversa. Mas eu agradeço pela intenção. Você criou uma história e tanto em poucos minutos. Genial. Vai dormir, vai. Quer que eu te acompanhe até seu quarto? Você não está um pouco tonta?

Beá:

— Você está tirando uma da minha cara, é? Pois eu gostei da minha ideia. E eu bem que podia filmar o momento do abraço comovente entre você e seu pai.

Chico:

— Sabe que eu estou começando a entender por que sua mãe te chama de desequilibrada? Mas prometo que vou pensar em outra maneira menos "teatral", digamos assim, para contar isso pro meu pai.

Beá:

— Bom, se você quiser, a gente pode usar outra estratégia. Algo mais light. Que tal fazer o roteiro de um filme, gravar e mostrar pro seu pai? Nós seríamos os atores. Podia ser uma versão teen do conto "O patinho feio". Era só mudar o título: "A patinha feia e o patinho gay".

Chico:

— Estou chocado com sua capacidade de arrumar soluções absurdas para os meus problemas, Beá. Mas vamos lá. Pelo que eu sei, o patinho feio, no final da história, vira um cisne lindíssimo; e o patinho gay, o que acontece com ele no final, acaba assado e servido com batatas?

Beá:

— Não, ele se apaixona por um patinho que é feio de verdade e os dois vivem felizes para sempre. Que tal?

Corte.

Locução em off: Chico

A conversa entre os irmãos patinhos ainda teve muitas surpresas.

Beá veio com uma história de que o mundo dá muitas voltas e que eu tinha que tentar me livrar das pedras que existiam no meu caminho.

Então me fez prometer duas coisas: que eu tentaria me reaproximar do Johnny, nem que fosse para não dar em nada. E que eu contaria para meu pai o que ele ainda não sabia sobre o filho dele.

Eu aproveitei o embalo e fiz com que ela prometesse que também tiraria algumas pedras do seu caminho: mudaria de colégio no ensino médio, para se dar a chance de conhecer gente nova, e se esforçaria para se apaixonar por alguém realmente possível. Nada de meninos tímidos ou gays.

Foi uma noite e tanto.

Fiquei tão aliviado de poder ser inteiro com Beá, na verdade de poder ser inteiro comigo mesmo, que virei para minha irmãzinha e perguntei se ela não estava com vontade de dançar.

Ela disse que não, que não sabia dançar e que nem adiantava insistir porque ela nunca dançava. Daquele jeito dela.

Falei que tudo bem, que se ela não queria dançar, eu dançava sozinho e pronto.

Então coloquei uma música do Scissor Sisters que eu adoro e comecei a dançar rodopiando, como no dia em que me atirei na cama e bati o pé.

Quando percebi, havia outro corpo rodopiando e rindo do meu lado.

Abracei a Beá e começamos a rodar juntos, até a música acabar.

Tempo cronológico: hoje
Nada de flashback.

Mandei três torpedos para Beá pedindo desculpas pela mancada de cancelar o cinema de última hora. Assim que eu terminasse a aula de roteiro, ia pegar um ônibus direto para o cinema e a encontraria lá.

Estava combinado. Eu realmente ia. Mas assim que o curso terminou, o professor convidou alguns alunos para assistir à gravação de um comercial de tevê que seria feita ali perto do estúdio. Eu fui um desses alunos.

Liguei para casa. Beá já tinha saído. Devia estar a caminho do cinema.

Eu teria de escolher. E rapidamente. E achei que não devia abrir mão da oportunidade de acompanhar essa gravação. E o João Pedro também ia. Foi ele, aliás, quem insistiu muito para que eu fosse.

Não dava para resistir a essas duas oportunidades.

Não deu.

Ao primeiro torpedo ela respondeu:

Td bem. Aproveite. bj.

Achei que devia mandar outro, para ela não ficar magoada demais.

No segundo, ela escreveu:

Relaxa. bj.

Ela estava brava comigo. Eu sentia. Também, tinha furado muito em cima da hora. Escrevi novamente, dizendo que eu era mesmo um canalha, mas que depois explicava tudo.

No terceiro, ela foi mais verdadeira:

Me esquece. Morri, tah?

Não insisti mais, estava superculpado. E não ia adiantar.

João Pedro estava do meu lado, deve ter visto minha cara e perguntou se eu estava com problemas. Contei que tinha desmarcado um encontro. Ele fez uma expressão de quem ficou meio decepcionado. Eu gostei. Senti uma pontinha de prazer ao pensar que ele pode ter ficado com uma pontinha de ciúmes. "Falo ou não falo?", pensei.

Achei melhor contar que o encontro era com minha irmã. Se ele acreditou, eu não sei. Mas dei espaço para ele perceber que o caminho estava livre.

Tá legal que a gravação não foi digna de uma Palma de Ouro em Cannes. E nem era um set hollywoodiano. Mas ver as coisas acontecerem na minha frente, com todo aquele equipamento, as luzes, os atores e a diretora atuando foi uma experiência incrível.

Era isso que eu queria para mim. Esse mundo de mentira que é tão de verdade.

E também foi incrível conhecer o João Pedro um pouco melhor, longe do curso, fora da sala de aula.

Ele não é arrogante, eu estava enganado, é inseguro mesmo. E meio travadinho. Não gosta de dar bandeira, como eu. Fica com o pé atrás quando conhece alguém interessante. Nós dois estamos na mesma situação: ainda não saímos do armário completamente. Ele falou, e eu concordo, que só quando assumir o que ele é para sua família é que estará se assumindo de verdade.

Marcamos de nos encontrar no sábado. Ele quer ver um filme que eu também quero. Depois é depois.

Quando cheguei em casa, passavam das onze da noite.

No corredor, parei na porta do quarto da Beá. As luzes estavam apagadas. Nenhum som. Ou ela já estava dormindo, ou não queria falar comigo.

Fui ao banheiro, pensando se devia ou não bater na porta e ver se ela ainda estava acordada.

Levantei a tampa da privada.

Mas e se ela estivesse acordada e não quisesse conversar?

Lembrei do pedido da Beá e abaixei a tampa da privada.

Corte.

Fechei a porta do banheiro fazendo um pouco de barulho, queria ver se a Beá escutava e dava algum sinal de vida. Cheguei perto do quarto dela. Nada. “Melhor deixar pra depois...”, pensei.

Estava quase fechando a porta do meu quarto, quando percebi que havia um papel pendurado na minha claquete.

Parecia a letra da Beá, mas não tinha identificação:

Imagine a situação. Você tem um compromisso com uma pessoa muito especial e precisa desmarcá-lo por um motivo qualquer. Você sabe que essa pessoa é sensível, meio encanada e gosta muito de você. O que você faz para se retratar?

a) Envia flores para ela e um lindo cartão com pedido de desculpas.

b) Manda três torpedos seguidos e ridículos.

c) Prepara o melhor bolo de chocolate do mundo para presenteá-la.

d) Bate imediatamente na porta do quarto dela e pede perdão de joelhos.

Perdão de joelhos?

Mas eu poderia até lavar os pés da Beá para que ela me perdoasse e esquecesse meu furo!

Então resolvi que ela já me encontraria de joelhos quando abrisse a porta.

Mas, e se o pedido de desculpas também fosse acompanhado por flores e pelo tal bolo de chocolate que ela pediu? E por que não? Não causaria um impacto maior? Ela não se sentiria mais especial?

Já ouvi algumas garotas dizerem que caras verdadeiramente gentis estão em extinção. Sempre achei essa afirmação de um machismo insuportável, mas, como queria encher a bola da Beá, acreditei que valeria a pena fazer esse papel de macho em extinção. E por que não?

Não são os "por que não?" que fazem com que a gente tenha coragem de se arriscar e sair do lugar?

E por que não?...

Corte.

Fui correndo até o supermercado 24 horas, que fica a alguns quarteirões de casa, para comprar um bolo de chocolate, desses prontos, é lógico, e um vasinho de flores.

Lá estava eu no caixa, com um vasinho de flores brancas — não sabia o nome delas — e o bolo de chocolate, quando a moça me perguntou, meio sem graça, enquanto fazia a leitura do código de barras:

— As violetas são pra sua mãe ou pra sua namorada?

Primeiro eu pensei: "ah, são violetas...".

Em seguida, parei para avaliar a pergunta.

Era só uma pergunta, talvez a moça fosse apenas muito romântica e gostasse de puxar conversa com os clientes que aparecem tarde da noite.

Mas, como eu não sou sócio daquele clube dos garotos que gostam de garotas, perguntas como essas costumam me deixar profundamente desconcertado ou irritado. Depende de quem faz a pergunta e depende de como estou me sentindo no momento em que ela é feita.

Essas situações, que parecem tão bizarras, sempre provocam um grande conflito em mim. Sei que corro o risco de criar o maior clima se falar alguma coisa que a outra pessoa não está preparada para ouvir. Mas também já sei que me sinto um idiota quando invento uma resposta que não é a que eu queria dar.

Algo meio esquizofrênico isso... Nessas horas, me vem à cabeça aquela música do Tim Maia "vale tudo, [...] só não vale dançar homem com homem, nem mulher com mulher".

É que a fórmula clássica costuma ser: homem + flores = presente para alguma mulher. Tudo assim muito simples. Um roteiro básico, previsível e que dá sempre certo, deixando o espectador satisfeito e ponto-final.

Olhei para a menina do caixa. Era simpática, parecia cansada, trabalhando até aquela hora da noite, quando todo mundo já está de pijama em casa. Fiquei com pena de quebrar a fantasia dela se dissesse, só para provocar: "são para o meu namorado".

Claro que eu pensei no João Pedro naquele momento. A gente não estava namorando, nem nada, mas eu não descartava essa possibilidade. E qual o problema de um homem levar flores para outro homem? Ou uma garota ganhar flores de outra garota? O Ju não tinha me dado um coração de pelúcia com as cores do arco-íris?

Mas se eu dissesse "namorado", a moça ia acabar ficando muito sem graça, talvez pedisse desculpas, toda vermelha, deixasse as moedas do troco caírem e, no final das contas, o que eu ia ganhar com aquilo?

Então respondi:

— São pra uma amiga minha.

Ela:

— Só amiga? Deve ser uma amiga muito especial.

O que ela tinha a ver com minha vida, afinal? Mas os olhos dela brilharam tanto quando ela falou "amiga especial", que eu resolvi alimentar sua fantasia. Era nisso que ela queria acreditar, não era?

Eu:

— Tá bom, são pra minha namorada.

A moça deu um quase suspiro e sorriu. Era isso mesmo que ela queria ouvir.

Ela:

— Eu sabia. Que sorte que ela tem!

Peguei o troco.

Eu (me perguntando):

— Até quando, até quando?

Durante a caminhada de volta, fiquei pensando que, se alguém me dissesse, no ano passado, que estava se aproximando o dia em que eu, quase à meia-noite, andaria apressado pelas ruas, levando flores para uma garota que estava magoada comigo, não ia acreditar. Acharia que a pessoa tinha pirado.

Mas, pra ver como são as coisas, lá estava eu. Andando apressado pelas ruas, com as mãos ocupadas, torcendo pra que a Beá estivesse acordada quando eu chegasse em casa.

Corte.

Estava esperando o elevador quando o Johnny apareceu.

"Hoje é o dia", pensei. E me preparei para o "oba", "e aí?", "beleza?".

Mas ele me surpreendeu com um olhar nos olhos e um:

— E aí, Chico, tudo bem?

O tom de voz era do Johnny, não do João.

Alguma coisa tinha mudado. Respondi:

— Eu tô bem, e você?

Deu um close no vaso de violetas. Eu só olhando, sem saber o que fazer. Ele colocou as mãos nos bolsos da calça, depois jogou o peso do corpo nos calcanhares, fazendo uma gangorra, para a frente e para trás. Aí mordeu os lábios, daquele jeito dele que eu conhecia bem, quando queria dizer alguma coisa, mas não sabia muito bem como começar.

JOHNNY:

— Eu fiquei sabendo que seu pai se casou, né?

EU:

— Foi, faz cinco meses. Ele quis te convidar...

JOHNNY:

— Às vezes a gente se encontra aqui no prédio. Parece que ele está feliz.

EU:

— É, ele está. O casamento fez bem pra ele.

JOHNNY:

— E pra você?

Ele queria saber como eu estava? Era isso mesmo que eu estava entendendo?

O elevador chegou, mas nem ele nem eu saímos do lugar.

EU:

— O melhor de tudo foi ganhar uma irmã!

E levantei o braço em que segurava o vasinho de violetas.

EU (MEIO SEM GRAÇA):

— Tô levando pra ela. Vou tentar fazer as pazes.

JOHNNY:

— Eu já cruzei com uma garota altona pelo prédio. É ela, né?

EU:

— É, é a Beá, sim. Ela é inconfundível e única.

JOHNNY:

— Parece legal.

EU:

— É sim, é bem legal. Tá virando irmã, mesmo.

O vaso e o bolo me lembravam a todo instante que eu devia subir se ainda quisesse encontrar Beá acordada. Mas não queria interromper aquela conversa.

Era o primeiro encontro em que o Johnny me olhava nos olhos de verdade.

Johnny:

— Eu andava pensando em te procurar...

Eu:

— É? E por que não me ligou?

Johnny:

— Sei lá. Deixei passar.

Eu:

— Sei.

"Cuidado, Chico, cuidado", eu me dizia. "Não diga nem faça nada que possa colocar tudo a perder."

Johnny:

— Eu andei pensando... acho que a gente precisa conversar de novo.

Quase deixei o vaso cair, o bolo, tudo. Mas e a Beá? Era muita coisa para acontecer num dia só.

"Uma coisa por vez, Chico...", eu tentava me acalmar.

Eu:

— Também acho que a gente precisa mesmo conversar de novo, João. Mas hoje não vai dar. Preciso resolver uma encrenca que eu arrumei.

E de novo levantei o vasinho de violetas.

Johnny:

— Ah, fazer as pazes com ela.

Eu:

— É, pisei na bola. Agora preciso tentar consertar o estrago.

Johnny:

— Sei. Vai lá, então. Depois a gente conversa.

Mas eu não tomei a iniciativa de abrir a porta do elevador, que continuava parado à nossa espera. Ele também não.

Eu:

— Amanhã pode ser?

Johnny:

— Tudo bem. Eu te ligo.

Eu:

— Legal.

Eu tomei coragem para sair daquela situação.

— E aí, João, vamos subir?

JOHNNY:

— Vamos lá.

Entramos no elevador.

JOHNNY:

— Johnny, tá? Não me acostumo a ouvir você me chamando de João.

EU:

— Tá legal, Johnny.

Chegamos ao quinto andar, e ele me olhou, antes de descer.

JOHNNY:

— Eu te procuro amanhã, certo? E boa sorte com a irmãzinha, Chico.

EU:

— Obrigado. Até amanhã.

Ele desceu e eu fiquei. Foi a melhor subida de elevador da minha vida!

Festejei andar por andar.

Johnny estava voltando.

Realmente aquele estava sendo *o* dia!

Corte.

Entrei em casa no maior silêncio.

Fui até a cozinha, peguei um prato, tirei o bolo do pacote. "Velinhas!", lembrei. "Onde estão as velinhas?" Desde que minha mãe morreu, nunca mais fizemos comemorações de aniversário.

Encontrei uma vela normal, branca, grande. Era o que tinha. Metade dela ficou dentro do bolo. Acendi a vela antes de sair da cozinha.

Sala. Corredor. Quarto da Beá.

Não tinha mão livre para bater na porta. Precisei equilibrar o vaso e o prato com o bolo no mesmo braço. Mão esquerda liberada.

Bati na porta uma vez.

Bati duas.

Bati três.

Na quarta eu pensei: "Chega, que m****, ela já dormiu!".

Abri a porta devagar. Estava destrancada. A vela do bolo iluminava um pouco.

Ela estava dormindo de verdade. Mas não estava de pijama nem embaixo das cobertas. Devia estar me esperando e adormeceu.

De repente, começou a balbuciar algumas palavras que eu não consegui entender. Parecia um bebê gigantesco. Desarmada, relaxada.

Não sabia o que fazer. Acordo? Deixo dormir? E o que faria com aquele bolo e com as flores? Achei melhor esperar um pouco. Talvez ela acordasse logo, para se trocar ou para se cobrir.

Ajeitei duas almofadas na cama e me acomodei como dava. Aliás, como quase não dava.

Ela ocupava a cama toda, a folgada.

O bolo e as flores ficaram sobre o criado-mudo, ao lado dos óculos vermelhos.

Peguei meu iPod no bolso, para tentar me distrair durante a vigília.

Tinha muito em que pensar. O dia. Aquele tinha sido O dia. O dia dos dois "Joões", João Pedro e Johnny. Dose dupla de João. Eu estava empolgadíssimo, o Johnny queria conversar comigo! E com o João Pedro, bem, tudo podia acontecer. Até nem dar em nada.

Não sei a que horas foi, mas sei que apaguei.

Acordei com um alarme. O celular da Beá começava a gritar.

Senti primeiro um chute, quase no meio do estômago. Gritei de susto e de dor.

Em seguida ouvi a voz dela:

— Chico, o que você está fazendo aqui?!

Eu:

— Oi, Beá. Valeu pelo chute. É uma boa maneira de começar o dia.

Beá:

— Você dormiu aí sentado? Na ponta da minha cama?

Eu:

— Onde você queria que eu dormisse? Fiquei esperando você acordar pra me desculpar. Mas não estava no script que eu pegaria no sono. Deslize do ator.

Beá:

— Tá, entendi, agora sai.

Ela não estava com cara de quem queria conversar.

Beá:

— Por favor, Chico, você pode sair? Preciso me trocar.

Eu:

— Não sei se você percebeu, irmãzinha, mas já está trocada...

Beá:

— Ah, é mesmo... E você também. Mas o quarto é meu, e eu quero ficar sozinha, tchauzinho.

Achei que era hora de agir. Dei um jeito de me ajoelhar onde estava. Quase não consegui. O corpo todo estava quebrado por ter ficado tanto tempo na mesma posição.

Eu:

— Este pobre pecador pede seu perdão, senhorita. Não tive a intenção de magoá-la. Acredite. Foi por causa de uma oportunidade única, irrecusável, da categoria das imperdíveis. E valeu muito a pena, você nem imagina.

BEÁ:

— Estou pensando. Continua, continua, quem sabe você consegue me convencer com novos argumentos.

EU:

— Tá bom, vou tentar. Não tenho argumentos. Mas tenho novidades: o João Pedro, aquele cara lá do meu curso, sabe?

BEÁ:

— Sei quem é, Chico. E aí?

EU:

— Ele também foi ver a gravação do comercial. A gente conversou e marcou de sair no sábado. Não é demais? Se eu não tivesse ido, não teria rolado o papo nem o encontro.

BEÁ:

— Estou considerando. Continua.

EU:

— A melhor novidade você não vai acreditar: o Johnny quer con-

versar comigo. O Johnny, Beá! O Johnny! A gente vai se encontrar hoje. Ele estava tão diferente. Quase o Johnny de verdade. Não é demais? Diga se não é! E, olha, se eu não tivesse voltado tarde pra casa ontem, não teria encontrado o Johnny lá no térreo e o papo não teria acontecido.

Beá:

— Ainda não me convenci se devo ou não te desculpar.

Eu:

— Você não vai colocar seus óculos hoje?

Eu queria que ela fosse até o criado-mudo. Então ela se virou para alcançar os óculos. Estava demorando. E encontrou o vasinho de flores e o bolo, com a parafina da vela já toda derretida. Abriu um sorriso imenso.

Eu:

— E então, estou perdoado ou não estou? Difícil, você, hein?

Beá:

— Tá bom, Chico, desta vez eu te perdoo, mas só porque eu nunca recebi flores... Que lindas violetas brancas! E o bolo de chocolate, é pra comer?

Eu:

— Era. Agora eu não aconselho, a não ser que você goste de uma parafina.

Beá:

— Obrigada, irmãozinho. Você foi muito gentil. Mas preciso te confessar uma coisa.

Eu:

— Então confessa...

Beá:

— Eu não estava dormindo, quando você entrou no meu quarto. Fingi direitinho, não foi? Eu queria te fazer sofrer um pouco, de remorso. Mas acabei pegando no sono de verdade, depois. Desculpa, tá?

Eu:

— Tá desculpada, sua boba. Foi até engraçado.

Beá:

— Fiquei feliz com suas novidades, viu?

E ela me deu um abraço bem apertado. Desses que a gente precisa quando vai ter pela frente um dia difícil ou um dia muito especial.

Corte.

Locução em off: Chico

A cena foi incrível. Eu precisava ter filmado...

Lá estava eu, saindo do quarto da Beá, com a mão na maçaneta, quando fomos surpreendidos. A porta foi aberta pelo lado de fora e a Denise ficou cara a cara comigo.

Primeiro ela deu um passo para trás e, com o susto, eu também. Depois avançou e fechou a porta. Ficamos os três dentro do quarto.

A Beá se aproximou da mãe.

Beá:

— Mãe, eu posso explicar.

Denise (nervosa):

— É bom mesmo! O que o Chico está fazendo aqui tão cedo?

Eu:

— Eu estava saindo, Denise.

Denise:

— Eu percebi. Quero saber o que você veio fazer aqui antes de sair, Chico.

Beá (rindo):

— Ele veio me trazer este vasinho de violetas, não são lindas?

Denise (irritada):

— Vocês querem que eu acredite que o Chico veio ao seu quarto às seis da manhã para trazer flores?

Chico (rindo):

— É verdade. Ela acabou de ganhar o vasinho agora.

Denise:

— Vocês querem que eu repita a pergunta?

Beá (irônica, olhando para Chico):

— Você quer ouvir mesmo a verdade, mãe?

Denise (muito irritada):

— É claro! Que pergunta mais sem propósito. Vocês só estão me enrolando, querendo ganhar tempo...

CHICO (RINDO):

— Que é isso, Denise. Imagina, a gente querer te enrolar! Mas é que você parece um pouco alterada. Talvez não seja um bom momento pra conversarmos. Quem sabe mais tarde, na hora do jantar?

DENISE (DESCONTROLADA):

— Vocês falam agora, ou eu chamo o Marcelo imediatamente!

BEÁ (RINDO):

— Então tá. Se você quer mesmo saber, o Chico dormiu aqui.

DENISE (ESPANTADA):

— Como assim? Dormiu aqui? O que vocês estão querendo dizer com isso? Beá, olhe pra mim e responda!

BEÁ (RINDO):

— Mãe, calma, não é uma tragédia. Acontece nas melhores famílias...

CHICO (RINDO):

— Deixa que eu explico, Beá... Mas pensa bem, Denise, você tem certeza que quer mesmo saber?

THE END

Epílogo

Um ano depois...

Maria Beatriz Rinaldi Lobato mudou de colégio, de penteado, de óculos, de roupas, de estilo e de colegas. Tirou o aparelho dos dentes e se livrou da autopiedade. Deixou de dar ouvidos às críticas da mãe e tem se esforçado para não dar voz à própria timidez. Também conseguiu aprimorar algumas qualidades, como o humor ferino, a crítica deslavada e o gosto pela literatura.

Além disso, adotou a política do bateu-levou, o que tem tirado um pouco do sono da família Rinaldi Dornelles, principalmente de Denise.

Ainda não é nem deseja ser a queridinha da nova classe, mas nunca mais passou um final de semana em casa. Conseguiu ser eleita para o grêmio do colégio já no segundo semestre, e agora é responsável pelo fanzine dos alunos do ensino médio, junto com dois colegas. Um deles, chamado Miguel, tem se mostrado bem mais íntimo que um simples colega.

Apesar da vida agitada, Beá reconhece que é incapaz de ficar dois dias sem abrir seu coração com o irmão Chico.

Chico Dornelles finalmente conseguiu chutar a porta do armário e se abriu para o pai, depois da fatídica noite em que dormiu sentado no quarto de Beá.

A conversa foi menos difícil do que Chico pensava, mas nem por isso foi fácil. Marcelo disse que já desconfiava e garantiu que a orientação sexual do filho jamais iria interferir no amor que sentia por ele ou contaminar a relação entre os dois. Mas, apenas para que pudesse incorporar bem a ideia, pediu que o avisasse com antecedência antes de lhe apresentar um namorado.

Há três meses Chico está trabalhando como assistente de câmera de um estúdio de comerciais durante o dia e cursa a faculdade de cinema à noite, juntamente com João Pedro, com quem teve um breve relacionamento antes de conhecer Bruno, seu atual namorado, na fila de um cinema. Agora está criando coragem para levá-lo a um jantar oficial em casa. Já avisou Marcelo.

Voltou a jogar futebol todos os sábados com Johnny, que está fazendo cursinho para arquitetura. Chico joga no gol, Johnny na defesa, e Bruno fica no banco dando uma força.

Apesar da vida agitada, Chico reconhece que é incapaz de ficar dois dias sem abrir seu coração com a irmã Beá.

Créditos (por ordem alfabética)

André Rinaldi Lobato: como André
Denise Rinaldi: como Denise
Francisco Dornelles: como Chico
João Ribeiro Fontana: como Johnny
Mãe do Chico: como Mãe do Chico
Maria Beatriz Rinaldi Lobato: como Beá
Marcelo Dornelles: como Marcelo

Qualquer semelhança de personagens ou situações desta obra com pessoas ou fatos reais terá sido mera coincidência.

Bate-papo com

Márcia Leite

A seguir, conheça mais sobre a vida, a obra e as ideias da autora de Do jeito que a gente é.

Leonardo Chianca

Nome: **Márcia Leite**
Nascimento: 28/11/1960
Onde nasceu: São Paulo (SP)
Onde mora: São Paulo (SP)
Que livro marcou sua adolescência: todos os que li, pelo que me apresentaram, e os que não li, pela falta que provocaram.
Motivo para escrever um livro: empatia.
Motivo para ler um livro: desejo.
Para quem daria Sinal Aberto: para meninos que gostam de meninos, meninas que gostam de meninas, meninos que gostam de meninas e meninas que gostam de meninos.
Para quem fecharia o sinal: para todo tipo de intolerância, preconceito e violência.

A vida traduzida em palavras

Além de escritora de ficção, Márcia Leite é educadora e autora de coleções didáticas de língua portuguesa. Atividades que atuam com componentes semelhantes: a palavra e o **ser humano**. Não é à toa que os livros de Márcia enfocam relacionamentos, descobertas, fantasias e angústias que envolvem a vida de **todos**. Um de seus livros, *Aqui entre nós*, também da coleção Sinal Aberto, já ganhou o Prêmio Nestlé de Literatura e o selo Altamente Recomendável para Jovens da Fundação Nacional do Livro Infantil e Juvenil (FNLIJ).

A **paixão** por escrever começou cedo, na adolescência. Publicou seu primeiro livro "de verdade", *A barriga*, aos 25 anos, quando esperava seu primeiro filho, Filipe. De lá para cá muitas histórias nasceram e, no meio delas, suas duas filhas, Júlia e Mariana.

Avessa a todas as manifestações de violência, intolerância e preconceito, não existiria ninguém mais **sensível** do que Márcia para abordar temas como amadurecimento e **aceitação** de si mesmo. Caminhos que passam, evidentemente, pela escolha e pela afirmação da sexualidade, e sobre os quais Márcia fala na entrevista a seguir. Para saber mais sobre a autora, visite www.marcialeite.com.br.

Ao ler *Do jeito que a gente é*, percebe-se que escrever, para você, é muito importante. Conte um pouco da sua relação com a literatura.

Não consigo imaginar minha história pessoal sem a literatura: sou uma leitora incontrolável e uma escritora obsessiva: mesmo quando não estou escrevendo, estou escrevendo mesmo assim. A literatura sempre garantiu uma necessidade básica minha, sem a qual eu não me entenderia: um contato profundo e verdadeiro com meu mundo interior. Por meio da literatura eu me humanizo, me coloco no lugar do outro, sigo buscando o sentido da existência. Marguerite Duras, escritora e dramaturga francesa, dizia que algumas pessoas têm necessidade de viver duas vezes, uma quando vivem e outra quando escrevem. E que algumas vezes essa segunda vida se torna mais importante que a primeira. Eu concordo com ela. Quando leio ou escrevo, sinto que estou vivendo com mais intensidade.

De onde surgiu a inspiração para esta história?

Me dei conta que a literatura juvenil, pelo menos no Brasil, não contemplava realmente todos os seus leitores. Fui pesquisar e descobri que os livros para adolescentes nunca apresentavam personagens cuja orientação não fosse heterossexual. Ou seja, os leitores que não se enxergavam nesse modelo de relação nunca poderiam contar com a experiência intransferível que a literatura nos propicia: conseguir dialogar com o texto, projetar-nos nele, reconhecer-nos na vida de seus personagens. Por isso escrevi uma história em que um dos protagonistas é homossexual. Assim, quem sabe, ele possa dar alguma voz aos garotos e garotas que precisam esconder sua sexualidade para ser respeitados nas salas de aulas, nas suas famílias, entre seus amigos.

Os personagens do livro têm tantos sentimentos conflitantes, e perfis psicológicos tão bem construídos, que logo criam laços de identificação com o leitor. Como eles foram nascendo?

Pode parecer estranho, mas meu primeiro pensamento diante da pergunta foi: eles nasceram de parto normal. Vou explicar melhor: todo mundo sabe que adolescer não é nada fácil. Agora, imagine o que é ser um adolescente diferente dos modelos sociais estabelecidos como "corretos" e dos padrões de beleza valorizados. Chico e Beá são exemplos de garotos que deparam cotidianamente com essa questão. Isso não os impede de seguir em frente, de se arriscar, de se valorizar e se autoconhecer. De certa maneira, Chico e Beá têm alguma coisa da Márcia adolescente — acho, inclusive, que fui salva pela literatura. Parece romântico, mas era nos livros que eu me refugiava, e foram eles que me desafiaram a ver que existiam mundos e vidas bem diferentes dos que eu conhecia. A maior descoberta que fiz em minha adolescência foi que era preciso acreditar e gostar de mim. Por isso Chico e Beá nasceram de parto normal: são iguais a qualquer adolescente. Será que respondi à pergunta?

Em meio a 67 livros didáticos analisados recentemente pelo Instituto de Bioética, Direitos Humanos e Gênero (Anis) — retirados de uma amostra dos 98 mais distribuídos pelo Ministério da Educação às escolas públicas brasileiras —, apenas um trata superficialmente do tema da diversidade sexual. Por outro lado, em 25 dicionários usados em sala de aula foram encontrados termos considerados pejorativos. Tais fatos mostram que a falta de espaço para falar da diversidade sexual na escola caminha ao lado do preconceito. Como foi escrever a história de Chico pensando neste quadro?

É lamentável que garotos e garotas como Chico não encontrem espaço nas escolas em que estudam, não se reconheçam nos livros que leem

Preconceito curricular

O fato de a Parada Gay da cidade de São Paulo atrair milhares de pessoas (dentre as quais, muitos adolescentes) poderia indicar que a sociedade está vencendo antigos preconceitos contra a homossexualidade. Infelizmente, porém, os preconceitos parecem mais arraigados do que se pensa. Entrevistas realizadas por ativistas gays em seis capitais do país mostram a escola como o primeiro ou o segundo lugar em que homossexuais e transexuais mais sofrem preconceito. E não para por aí: duas pesquisas feitas pela Unesco em 2004 revelam que entre os alunos, 40% dos meninos brasileiros não querem um colega homossexual; entre os professores, 60% consideram "inadmissível" que uma pessoa tenha relações com outra do mesmo sexo. Para reverter tal quadro, há projetos que formam professores e ajudam escolas a lidar com a diversidade sexual de seus alunos, mostrando a importância do respeito nas relações interpessoais.

e não se sintam valorizados. Isso é preconceito, é intolerância. O adolescente gay não é diferente do adolescente heterossexual: depende da aprovação e do afeto dos amigos e familiares, sofre das mesmas inseguranças... Existe apenas uma grande diferença: quando um menino ou uma menina heterossexual começa a ter vida afetiva e sexual, não precisa lutar com a situação estabelecida. Já os garotos e garotas homossexuais precisam vencer muitos desafios até ser aceitos e respeitados. Não é preciso falar o quanto a escola é responsável por esse cenário de intolerância, e como pode se tornar fundamental para contribuir para a transformação desses valores.

Você acha que o universo adolescente de hoje está mais violento do que no passado — entendendo violência em um sentido amplo, que abarca falta de informação, desinteresse, preconceito, agressão física e verbal...?
O mundo contemporâneo está mais violento. Vejo os adolescentes como uma espécie de esponja, uma fotografia da sociedade que nós, os adultos, oferecemos. Essa absorção, esse retrato, pode refletir no comportamento agressivo, nas relações violentas e impunes, no desinteresse pelos valores éticos, ou, pelo contrário, se manifestar como um modelo a ser contestado pelos jovens. Sofremos todos dos mesmos males: o que fazer com a liberdade conquistada? Como escapar do "prazer a qualquer preço"? Como

Não é brincadeira

Para educadores, o que há algum tempo era "intriga de criança", agora é bullying. De acordo com o Cemeobes (Centro Multidisciplinar de Estudos e Orientações sobre o Bullying Escolar), o bullying caracteriza-se "pelo desrespeito, intolerância, indiferença, exclusão e perseguição aos considerados 'diferentes'" no espaço da escola. Tais ações (que já ganharam uma versão tecnológica, o cyberbullying, valendo-se de e-mails, blogs, sites de relacionamento e celular para espalhar boatos cruéis sobre a vítima), passíveis de punição penal, atingem crianças, adolescentes e até adultos, professores e funcionários da escola. Pessoas que são vítimas de bullying podem carregar o trauma pelo resto da vida, com sequelas como dificuldade de tomar iniciativas e de se expressar.

não se sentir solitário? Como cultivar e preservar a subjetividade, o mundo interior, em uma sociedade regida pela ânsia do espetáculo e que não estabelece fronteiras entre o público e o privado? Como dar sentido à vida em um mundo aparentemente sem sentido? Isso tudo não é violento?

A Cemeobes (Centro Multidisciplinar de Estudos e Orientações sobre o Bullying Escolar) realizou uma pesquisa em 2006, em oito cidades brasileiras, e concluiu que 45% dos alunos de ensino fundamental são atingidos pelo bullying, seja como agressor, vítima, ou em ambas as posições. No livro, Beá é vítima do bullying na escola. Você acha que descrever o sofrimento da personagem vai ajudar que as pessoas reconheçam e combatam esse fenômeno?

Acho que todos os leitores adolescentes, vítimas ou agressores de algum tipo de bullying, serão capazes de se reconhecer nas situações vividas por Beá, disso não tenho dúvida. Porém, não tive e não tenho a expectativa de que um livro ou um personagem sejam capazes de ensinar valores ou desbancar atitudes violentas. Acredito, sim, que personagens e histórias podem ajudar o leitor a se conhecer melhor e a entender com mais clareza algumas situações com as quais convive, seja no seu mundo exterior, seja no interior.

Quais dicas você daria a Chicos e Beás de verdade?

Bem, eu acho que Chico e Beá mostraram que é possível sobreviver às adversidades, sejam elas provocadas pelos outros ou por nós mesmos. Eles também foram capazes de superar obstáculos pessoais que em alguns momentos pareciam impossíveis de ser enfrentados. Os dois, cada um do seu jeito, nunca desistiram de acreditar neles próprios. Ambos foram sobreviventes, pessoas com um mundo interior suficientemente forte, que, independente do contexto, caem e se levantam com as próprias pernas — por isso sobreviveram e se tornaram cada vez mais fortes e mais verdadeiros. Chico e Beá sabiam, de alguma maneira, que as histórias, nos livros ou na vida real, nem sempre precisam ter final feliz: mas que é fundamental que façam algum sentido. Por isso, os dois aprenderam, ainda na adolescência, que é preciso ter coragem e dar a cara pra bater para que se possa levar uma vida de verdade.

Obras da autora

PELA EDITORA ÁTICA

Aqui entre nós (juvenil, 1996)

POR OUTRAS EDITORAS

Qual é a minha? (juvenil, 1989)
Enfim sós! (juvenil, 1991)
"Pai e filho" (conto em coletânea juvenil, 1992)
"As cerejas" (conto em coletânea juvenil, 1992)
Nunca viu, não? (juvenil, 1993)
Entre parentes (juvenil, 1994)
Nosso filme (em parceria com Leonardo Chianca; juvenil, 1995)
Depois que você morreu (juvenil, 1999)
Drogas (em parceria com Leonardo Chianca; juvenil, 2000)
"Enquanto o meu amor não vem" (conto em coletânea juvenil, 2001)
Não é bem assim: contos de dúvidas e decisões (juvenil, 2005)
As aventuras extraordinárias de Júlio (juvenil, 2008)
Era uma vez três e o encanto se desfez — contos maravilhosos do Brasil (juvenil, 2008)
Dons especiais, feitiços quebrados e casamentos reais — contos de fadas maravilhosos (juvenil, 2008)